uma LIÇÃO INESQUECÍVEL

Universo dos Livros Editora Ltda.
Rua do Bosque, 1589 • 6º andar • Bloco 2 • Conj. 603/606
Barra Funda • CEP 01136-001 • São Paulo • SP
Telefone/Fax: (11) 3392-3336
www.universodoslivros.com.br
e-mail: editor@universodoslivros.com.br
Siga-nos no Twitter: @univdoslivros

LAURA SCHROFF e ALEX TRESNIOWSKI

uma LIÇÃO INESQUECÍVEL

uma executiva, um menino de rua
e um encontro que transformou suas vidas

São Paulo
2013

UNIVERSO DOS LIVROS

An Invisible Thread: The True Story of an 11-Year-Old Panhandler, a Busy Sales Executive, and an Unlikely Meeting with Destiny

1ª edição 2013

Diretor editorial
Luis Matos

Editora-chefe
Marcia Batista

Assistentes editoriais
Ana Luiza Candido
Raíça Augusto
Raquel Nakasone

Tradução
Amanda Moura

Preparação
Bárbara Prince

Revisão
Geisa Oliveira

Arte e adaptação de capa
Francine C. Silva
Karine Barbosa
Valdinei Gomes

Dados Internacionais de Catalogação na Publicação (CIP)
Angélica Ilacqua CRB-8/7057

S395L Schroff, Laura

Uma lição inesquecível : uma executiva, um menino de rua e um encontro que transformou suas vidas / Laura Schroff, Alex Tresniowski; tradução de Amanda Moura. São Paulo : Universo dos Livros, 2013.

272 p.

Título original: Invisible Thread – The True Story of an 11-Year-Old Panhandler, a Busy Sales Executive, and an Unlikely Meeting with Destiny

ISBN 978-85-7930-398-2

1. Literatura estrangeira 2. Não ficção 3. Romance

I. Título II. Tresniowski, Alex III. Moura, Amanda

13-0238 CDD 305.56

A história verídica de um garoto de rua de onze anos, uma atarefada diretora comercial e um improvável encontro com o destino.

LAURA SCHROFF E ALEX TRESNIOWSKI

A todas as crianças que, assim como Maurice, enfrentam dificuldades quase impossíveis de se imaginar. Nunca percam a esperança de que vocês podem quebrar esse ciclo e mudar suas vidas. E nunca deixem de sonhar, pois o poder dos sonhos é capaz de nos engrandecer.

“Um fio invisível conecta aqueles que estão destinados a encontrar-se, independentemente do tempo, lugar ou circunstância. O fio pode esticar-se ou emaranhar-se, mas nunca romperá.”

provérbio chinês

sumário

prefácio

Quando Laura Schroff entrou no meu escritório em Manhattan para uma entrevista de emprego, em 1978, fiquei impressionada com sua confiança e encantei-me com sua personalidade, mas, para ser sincera, ela não me deslumbrou. Pelo menos não o bastante para que eu a contratasse de imediato. Gostei muito dela e tive uma sensação muito boa a seu respeito, mas precisava conhecê-la melhor – não apenas em relação às suas competências, mas também aos seus valores. Precisava saber que tipo de pessoa ela era.

Naquela época, eu era editora adjunta da *Ms.*, uma revista inovadora, de periodicidade mensal, cujo lançamento ocorreu em 1972. A ideia por trás da *Ms.* era simples, porém profunda: desejávamos ser o incentivo de uma mudança na nossa sociedade. A *Ms.* defendia a igualdade dos sexos, encorajava e inspirava as mulheres a atingirem a plenitude do seu potencial, a fazerem suas próprias escolhas e a competirem na arena da América empresarial, dominada pelos homens. Nos anos 1970, não vivíamos em um mundo em que quase 40% dos diplomados pela Harvard Business School eram mulheres, como ocorre hoje. Tampouco Oprah Winfrey aparecia cinco vezes por semana na TV, encorajando as mulheres a serem mais ousadas, a se sentirem mais satisfeitas com suas vidas. Em 1978, a *O* – a inspiradora revista da Oprah – não era ainda sequer o protótipo de uma ideia.

De diferentes formas, a *Ms.* estava sozinha em campo, preparando o caminho para mulheres como a Oprah e esforçando-se para promover uma geração de futuras líderes. E essa delegação trouxe a nós, funcionários da revista, uma enorme sensação de responsabilidade. Sentíamos que não estávamos apenas fazendo um trabalho – estávamos ajudando o mundo! Como editora adjunta, uma das minhas funções era contratar vendedoras de espaço publicitário, uma tarefa essencial e desafiadora para qualquer revista, sobretudo a nossa. Um dos inconvenientes de ser novo e diferente é que as pessoas nem sempre compreendem muito bem aquilo que estamos representando, tampouco o que defendemos e, durante muito tempo, a *Ms.* foi vista pela comunidade anunciante como um gambá em meio ao piquenique. Dessa forma, o pessoal do nosso departamento comercial tinha que trabalhar com muito empenho para vender não apenas o espaço para anúncios, como também a nossa mensagem, os nossos valores e o nosso ponto de vista. Portanto, eu precisava de mulheres que compreendessem esse desafio, que partilhassem a minha devoção à visão da revista e que fossem capazes de entrar em um território hostil para modificar a maneira como as pessoas pensavam. Precisava de alguém com valores profundamente enraizados e a coragem necessária para lutar por eles.

Ao conhecer Laura, perguntei-me: será que ela realmente se importa com o que fazemos aqui ou está apenas interessada no emprego?

Solicitei a ela que voltasse para uma segunda entrevista, e foi então que lhe pedi que dissesse o que realmente importava em sua vida. Laura não hesitou. Falou sobre a família, os amigos, de lealdade e da sociedade, de fazer a diferença na vida das pessoas. Ficou claro para mim que Laura era uma pessoa que *se preocupava.* E, à medida que o seu entusiasmo pelo que fazíamos ficava cada vez mais evidente, ela compreendeu a importância de conceder às pessoas o poder de sonhar mais alto e de lutar por uma vida melhor. Pouco tempo depois dessa segunda entrevista, convocamos Laura para assumir o cargo.

Sem grande surpresa, ela passou pela comunidade anunciante como um vendaval de paixão e convicção e ajudou a gerar um enorme crescimento das nossas receitas publicitárias.

E, no entanto, somente anos depois descobri como Laura é verdadeiramente incrível.

Depois que saí da *Ms.*, fui trabalhar para o *USA Today*, outra empresa de mídia impressa recém-criada na época e com uma visão revolucionária, que tinha de lutar por cada dólar de publicidade. Como diretora comercial, era minha função convencer as grandes marcas nacionais a nos concederem um voto de confiança e a anunciarem os seus produtos e serviços em um jornal diário de grande formato e a cores, um conceito a que o país não estava habituado ainda. O desafio era tremendo e percebi que precisava contratar pessoas inteligentes nas quais eu pudesse confiar. Laura estava no topo da lista. Juntou-se a nós e mais uma vez fez um trabalho excepcional, vendendo milhões de dólares de espaço publicitário no *USA Today*.

Mas não foi isso o que me fez perceber o quanto Laura era incrível.

Ao longo desses anos, Laura e eu nos tornamos mais do que colegas de trabalho; tínhamos nos tornado amigas. Almoçávamos juntas, falávamos sobre namorados, íamos às compras, fazíamos tudo o que amigas fazem. Nós nos interessávamos verdadeiramente uma pela outra. Dessa forma, não me surpreendeu quando, na terça-feira após o feriado do Dia do Trabalho, no ano de 1986, Laura entrou em minha sala e contou-me algo que havia acontecido com ela no dia anterior.

Nunca poderia imaginar que aquela história resultaria neste livro, nem poderia saber que o incidente que ela me relatou acabaria por determinar de uma vez por todas a minha opinião a respeito da personalidade dela. Naquele momento, era apenas mais uma história, mais uma das muitas que partilhávamos. Duvido que alguma de nós poderia imaginar que hoje, 25 anos depois, ainda estaríamos falando sobre aquilo.

O que Laura me contou foi que estava caminhando pela rua, não muito distante do seu apartamento em Manhattan, quando um rapazinho de onze anos a interrompeu pedindo-lhe uma moeda. Laura comentou que o garoto tinha os olhos muito tristes e que dizia estar com muita fome. Disse ainda que continuou caminhando, até que, sem saber por que, decidiu voltar. Em vez de dar apenas uma moeda ao rapaz, ela o levou para almoçar.

A minha primeira reação foi de surpresa. Eu tinha me tornado tão imune à presença dos mendigos nas ruas de Manhattan que certamente teria passado pelo menino sem nem olhar para trás. Fiquei admirada com a atitude de Laura. Naquela noite, saímos para jantar e conversamos um pouco mais a respeito do rapazinho, de nome Maurice. Nunca tinha visto Laura tão entusiasmada e animada com qualquer outra coisa. Apesar de ter acabado de conhecer aquela criança, era evidente que ela estava muito empenhada no seu bem-estar. Alguma coisa em Maurice, ao que tudo indicava, havia tocado o coração de Laura.

Durante os dias e semanas seguintes, tivemos muitas conversas a respeito do garoto, e quanto mais ela me contava sobre ele, mais eu compreendia a razão pela qual ela estava fazendo tudo aquilo. Ainda assim, devo confessar, eu nem sempre tinha a certeza de que o envolvimento de Laura com o menino e com sua família totalmente desestruturada fosse algo bom para ela. Temia que lhe acontecesse algo ruim, ou que a atitude dela fosse mal interpretada. Houve ocasiões em que fiquei muito aborrecida, por achar que ela estava se arriscando demais. Eu me perguntava se Laura tinha consciência da enorme responsabilidade que estava assumindo. E se os gestos de bondade para com Maurice o tornassem dependente dela? E se aquela criança desprovida de amor e emocionalmente abalada exigisse mais de Laura do que ela poderia dar? Com frequência e de maneira enérgica, eu mostrava a ela todas as minhas preocupações, todas essas perguntas que pairavam sobre minha cabeça. Sentia que tinha de ser a voz da razão para ela.

Contudo, logo ficou claro para mim que Laura não estava sendo guiada pela razão. Era guiada pela fé, pela convicção e pelo amor.

Convenceu-me, mais pelas suas ações do que pelas suas palavras, que nunca abandonaria Maurice. Com o tempo, nas nossas muitas conversas a respeito dele, compreendi que, ao envolver o rapaz em alguns dos simples rituais de sua vida, ela estava transmitindo-lhe lições valiosas, que permaneceriam com ele para sempre. Laura me disse que, independentemente do que acontecesse a ela – por mais êxito que obtivesse na sua carreira, por mais ocupada que estivesse, por mais que sua vida mudasse –, tinha um compromisso com ele até o fim. Conhecia Laura o suficiente para saber que aquelas não eram meras palavras. O compromisso que ela tinha com Maurice não era algo que encarava com leviandade ou que em algum momento ela ignoraria.

Foi então que finalmente comecei a compreender o quanto a história de Laura é incrível.

Vivemos em um mundo cínico, e por vezes esse cinismo nos impede de ver as coisas como elas são. Meu cinismo nova-iorquino me impedia de ver o laço especial que existia entre Laura e Maurice. Mas com Laura foi diferente; ela soube olhar para além de todos os problemas, de todos os riscos e de toda a *irracionalidade* do que estava fazendo e enxergou a verdadeira essência daquilo: uma meiga e sincera relação entre duas pessoas que precisavam uma da outra.

E agora sinto-me imensamente feliz ao ver Laura partilhando sua história com o mundo. Acredito que há uma mensagem poderosa nos seus gestos pequenos e simples e espero que os leitores se sintam tão inspirados pelo relato como eu me senti.

Lembro-me que há anos li uma citação de Martin Luther King Jr., na qual ele dizia: "Deem o primeiro passo com fé. Vocês não precisam ver a escada toda, só precisam dar o primeiro passo".

Obrigada, Laura, por ter dado o primeiro passo com Maurice.

Valerie Salembier
Diretora-geral adjunta, editora e chefe de vendas
Town & Country

introdução

Um garoto está sozinho perambulando pelas ruas do Brooklyn e eis que vê a seguinte cena: uma mulher correndo, fugindo de outra que a persegue com um martelo. Ele reconhece que uma das mulheres é a namorada de seu pai. Não conhece a outra, que está segurando o martelo.

O garoto está encurralado em uma espécie de inferno. Tem seis anos e seu corpo está coberto por marcas vermelhas de ferroadas de percevejos. Além disso, está terrivelmente magro devido a uma infecção mal tratada na pele. Sente tanta fome que o estômago dói, mas sentir fome não é nenhuma novidade para ele. Quando tinha dois anos, a dor causada pela fome era tanta, que ele remexeu o lixo, comeu dejetos de ratazana e teve de ser submetido a uma lavagem no estômago. Mora no minúsculo e imundo apartamento do pai numa área degradada do Brooklyn, dorme na mesma cama que os seus meios-irmãos, que urinam no colchão, e tenta sobreviver em um lugar que cheira a morte. Não vê a mãe há três meses e não sabe o motivo. Seu mundo é repleto de drogas, violência e caos constante. Apesar de ter apenas seis anos, sabe que, se alguma coisa não mudar em breve, talvez não consiga se safar.

Ele não reza, não sabe como fazer isso. Mas pensa "Por favor, não deixe que o meu pai me deixe morrer". E esse pensamento é, de certa forma, uma pequena oração.

Então o garoto vê o pai aparecer na rua. A mulher que empunha o martelo também o vê, e grita:

– Junebug, onde está o meu filho?

O rapazinho reconhece a voz e diz:

– Mamãe?

A mulher com o martelo na mão olha para o garoto e parece confusa, até que o observa com mais atenção e finalmente diz:

– Maurice?

O menino não reconhece a mãe porque ela está sem os dentes de tanto usar drogas.

E a mãe não reconhece o filho porque a infecção na pele o deixou com um aspecto esquelético.

Ela volta a correr atrás de Junebug, gritando:

– Olha o que você fez com o meu menino!

O garoto deveria estar assustado ou confuso, mas o que ele sente, acima de tudo, é felicidade. Está feliz porque a mãe foi buscá-lo e porque não vai morrer; pelo menos não naquele momento, nem naquele lugar.

Ele lembrará desse momento como a ocasião em que teve a certeza de que a mãe o amava.

capítulo 1

uma moeda

– Com licença, senhora. Tem uma moeda?

Essa foi a primeira coisa que ele me disse, na esquina da 56th Street com a Broadway, na cidade de Nova York, em um lindo dia ensolarado do mês de setembro.

E, quando eu o ouvi, eu realmente não o escutei. As palavras dele se misturaram com todo aquele ruído, como a buzina de um carro ou alguém chamando um táxi. Aquelas palavras eram apenas um ruído – o tipo de incômodo que os nova-iorquinos aprendem a ignorar. Então, passei direto, como se ele não estivesse ali.

Mas, a poucos metros de distância, eu parei.

E então – sem saber muito bem por que fiz isso – voltei.

Voltei, olhei para ele e percebi que era apenas um garoto. Antes, ao vê-lo de relance, tinha notado que ele era jovem. Mas agora, olhando bem para ele, percebi que era uma criança – corpo pequenino, braços finos, olhos grandes e redondos. Vestia um conjunto de moletom vinho, a blusa estava suja e desgastada e a calça era muito surrada. Calçava tênis brancos desgastados, tinha os cadarços desamarrados e suas unhas estavam sujas. Mas os seus olhos brilhavam e havia certa doçura nele. Tinha onze anos de idade – informação que obtive depois.

Estendeu sua mão em minha direção e perguntou novamente:

– Com licença, senhora. Tem uma moeda? Estou com fome.

A minha resposta pode até tê-lo surpreendido, mas fiquei chocada com a minha própria reação.

– Se você está com fome – eu disse –, vou levá-lo ao McDonald's e comprar um lanche para você.

– Posso pedir um cheeseburger? – ele perguntou.

– Sim – eu respondi.

– Que tal um Big Mac?

– Também pode ser.

– E uma Coca light?

– Sim.

–Hum... Que tal um milk-shake de chocolate e batata frita?

Disse que ele poderia pedir qualquer coisa que quisesse e perguntei se poderia acompanhá-lo no lanche.

Ele pensou por alguns instantes.

– Claro! – concordou.

Almoçamos juntos naquele dia, no McDonald's.

Depois disso, passamos a nos encontrar todas as segundas-feiras.

Durante as 150 segundas-feiras seguintes.

O nome desse garoto é Maurice e ele mudou a minha vida.

~

Por que eu parei e voltei em direção a Maurice? Para mim, é mais fácil explicar por que eu o ignorei no primeiro momento. Eu o ignorei simplesmente porque ele não estava na minha agenda.

Como você pode imaginar, sou uma mulher cuja vida é regida por uma agenda. Marco reuniões, preencho todos os horários, administro o relógio meticulosamente. Corro de uma reunião para a outra, e vou eliminando as tarefas da minha lista. Não sou simplesmente uma pessoa pontual; chego sempre com quinze minutos de antecedência a qualquer compromisso. Essa é a maneira como vivo; essa sou eu – mas algumas coisas na vida não se encaixam perfeitamente na programação de uma agenda.

A chuva, por exemplo. No dia em que encontrei Maurice – 1º de setembro de 1986 – uma enorme tempestade cobriu a cidade e eu acordei no meio da noite com o barulho da chuva. Era o feriado do Dia do Trabalho e o verão estava chegando ao fim, mas eu tinha ingressos para o jogo da tarde do torneio de tênis U.S. Open – assentos de camarote, a três fileiras da quadra central. Eu não era uma grande fã de tênis, mas amava ter acesso àqueles ótimos assentos; para mim, aqueles ingressos eram a evidência tangível do quanto me tornei bem-sucedida. Em 1986, eu tinha 35 anos, ocupava a posição de diretora comercial no *USA Today* e era muito boa no que fazia, que consistia em construir relacionamentos por meio da pura força de personalidade. Talvez eu não estivesse exatamente onde queria estar em minha vida – além disso, eu ainda estava solteira e mais um verão se passava sem que eu tivesse encontrado aquela pessoa especial – mas, para os padrões, até que estava seguindo muito bem. Acompanhar os clientes ao U.S. Open e ter um assento cortesia ao lado da quadra era apenas mais uma demonstração do quão longe esta garota de uma cidadezinha de classe média como Long Island havia chegado.

Porém, a chuva se estendeu por toda a manhã e por volta do meio-dia o torneio foi adiado. Andei de um lado para outro no meu apartamento, organizei as coisas, fiz algumas ligações e li o jornal até que a chuva finalmente parou, no meio da tarde. Peguei uma blusa e saí para caminhar um pouco. Não tinha uma direção certa, mas tinha um propósito muito claro: aproveitar aquele vento fresco e a luz do sol reluzindo sobre meu rosto para fazer um pouco de exercício e me despedir do verão. Ser interrompida não fazia parte dos meus planos.

Assim, quando Maurice falou comigo, eu simplesmente continuei caminhando. Outro ponto a ser lembrado é que essa era a Nova York nos anos 1980, uma época em que moradores de rua e mendigos eram algo comum na cidade, tão comuns quanto crianças passeando em suas bicicletas ou mães caminhando com seus carrinhos de bebê. A nação desfrutava do *boom* econômico, e todos os dias brotavam novos milionários na Wall Street. Mas, por outro lado, havia um grande abismo entre ricos e pobres e em nenhum outro lugar isso era tão evidente quanto nas ruas da cidade de Nova York. Seja lá qual fosse a riqueza que supostamente estava chegando à classe média, não chegou nem perto de atingir a parte mais pobre da cidade, as pessoas mais necessitadas; e, para muitas delas, a única opção foi viver nas ruas. Depois de certo tempo, você se acostuma com esse cenário: homens tristes e abatidos, mulheres com aparência assustadora, vestindo trapos e acampadas nas esquinas, dormindo em cima das grades e pedindo dinheiro. É difícil imaginar alguém que veja essas pessoas e não se sinta profundamente comovido com a situação. Porém, esse problema era tão disseminado que a maioria das pessoas fez uma escolha quase subconsciente de simplesmente desviar o olhar e ignorar os moradores de rua. Era um problema tão vasto e tão intrínseco à cidade que parar para ajudar um simples mendigo poderia parecer inútil. Dessa forma, passamos por eles todos os dias, como grandes ondas que continuam seguindo suas vidas, aceitando que não há nada que se possa fazer para ajudá-los, de fato.

Eu *tinha conhecido* um morador de rua um ano antes de encontrar Maurice. Seu nome era Stan e ele vivia na Sixth Avenue, não muito longe do meu apartamento. Stan era um homem troncudo de uns quarenta e poucos anos. Ele tinha um par de luvas de lã, um pequeno gorro azul-marinho, um par de sapatos velhos e mais um punhado de coisas em sacolas plásticas. Certamente não havia ali nenhum conforto com o qual qualquer criatura simples está habituada – um cobertor quente ou um casaco, por exemplo. Stan dormia sob as grades da estação do metrô e o vapor dos trens o mantinha vivo.

Um dia eu ofereci a ele uma xícara de café e ele respondeu que aceitava com leite e quatro torrões de açúcar, por favor. Tornou-se parte da minha rotina levar uma xícara de café para ele a caminho do trabalho. Sempre perguntava a Stan como ele estava e lhe desejava boa sorte, até que certa manhã ele se foi e a grade de ferro da estação de metrô voltou a ser uma simples grade de ferro, não mais um sinal de Stan. Foi assim que ele desapareceu da minha vida, sem deixar nenhuma pista sobre o que poderia ter acontecido. Fiquei triste porque ele não estava mais lá e com frequência me perguntava o que teria acontecido com ele, mas segui a minha vida e com o passar do tempo parei de pensar nele. Odeio acreditar que a minha compaixão por ele e pelas outras pessoas como ele era uma coisa casual, mas, para ser honesta comigo mesma, teria de admitir que era. Eu me importava, mas não o bastante para realizar uma mudança verdadeira em minha vida tendo o objetivo de ajudar. Não era nenhuma heroína capaz de realizar milagres. Aprendi, assim como a maioria dos nova-iorquinos, a me habituar com todo aquele incômodo.

~

Então veio Maurice. Passei por ele na esquina com a Broadway e na metade do caminho, bem no meio da avenida, eu parei. Fique ali por alguns instantes em frente aos carros que esperavam o semáforo abrir, até que o barulho de uma buzina me assustou. Virei e voltei para a calçada. Não me recordo de ter pensado a respeito ou mesmo de ter feito uma escolha consciente de voltar. Apenas lembro que voltei.

Ao pensar em todos os anos que se passaram, acredito que houve uma conexão forte e invisível que me puxou de volta em direção a Maurice. É algo que chamo de fio invisível. É como diz o provérbio chinês, é algo que conecta duas pessoas que estão destinadas a se encontrar, não importa quando, onde ou em quais circunstâncias. Algumas lendas a chamam de "o fio vermelho do destino"; outras, de "o fio do destino". Creio que foi esse fio que trouxe Maurice e eu para o mesmo trecho da calçada em uma cidade tão grande e agitada – apenas duas pessoas em meio a oito milhões delas, duas pessoas conectadas de alguma forma, de algum modo destinadas a se tornar amigas.

Nenhum de nós é um super-herói, tampouco possuímos alguma habilidade especial. Quando nos conhecemos, éramos apenas duas pessoas com passados complicados e sonhos frágeis. Mas, de alguma maneira, encontramos um ao outro e nos tornamos amigos.

E isso, como você verá, fez toda a diferença para nós dois.

capítulo 2

o primeiro dia

Atravessamos a avenida a caminho do McDonald's e, nos primeiros instantes, nenhum de nós disse uma palavra sequer. Aquilo que estávamos fazendo – dois estranhos, um adulto e uma criança, indo almoçar juntos – era algo totalmente atípico e ambos sabiam disso.

Finalmente, eu disse:

– Meu nome é Laura.

– Eu sou Maurice – ele se apresentou.

Permanecemos na fila do restaurante e fiz o pedido de acordo com o que ele desejava: um Big Mac, batatas fritas e milk-shake de chocolate, e pedi o mesmo para mim. Encontramos uma mesa disponível, nos sentamos e Maurice começou a devorar sua refeição. "Ele está faminto", eu imaginei. "Talvez ele não saiba quando poderá comer novamente." Em apenas alguns minutos ele já havia terminado, e perguntou onde eu morava. Estávamos sentados ao lado da janela, de onde era possível ver o prédio em que eu morava, o Symphony. Então apontei e mostrei a ele:

– Eu moro bem ali.

– Você mora em um hotel? – ele questionou.

– Não, moro em um apartamento.

– Igual aos Jeffersons?

– Ah! Aquele programa de televisão. Não, não é tão grande... É uma quitinete. E você, onde mora?

Hesitou por um momento antes de responder que morava no Bryant, um albergue entre a West 54th Street e a Broadway.

Não pude acreditar que ele morava a apenas duas quadras do meu prédio. Uma rua era tudo o que separava os nossos mundos.

Mais tarde, eu entenderia que o simples fato de ele me contar onde morava representava um voto de confiança para Maurice. Ele não tinha o costume de acreditar em adultos, muito menos nos brancos. Se eu tivesse refletido sobre isso, teria percebido que ninguém jamais havia parado para conversar com ele, perguntado onde ele vivia; ninguém jamais fora simpático ou oferecera a ele uma refeição. Por que ele não desconfiaria de mim? Como ele poderia ter certeza de que eu não era uma representante de algum serviço social tentando separá-lo de sua família? Quando ele voltou para o albergue e contou ao seu tio que uma mulher o tinha levado ao McDonald's, ele o advertiu:

– Ela quer levar você. Fique longe dela. Fique longe daquela esquina, caso ela volte.

Percebi que deveria ter contado algo a meu respeito para Maurice. Parte de mim me dizia que levá-lo para almoçar era uma boa ação, mas outra parte não estava inteiramente confortável com aquilo. Afinal, ele era uma criança e eu uma estranha, e as crianças são ensinadas a nunca seguir os estranhos, não é? Eu estava ultrapassando algum limite? Creio que algumas pessoas dirão que o que eu fiz foi completamente errado. Tudo o que posso dizer é que, no meu coração, aquilo era a única coisa que eu poderia ter feito naquela situação. Então eu percebi que se eu contasse a ele algo sobre mim, não seria tão estranha assim.

– Eu trabalho no *USA Today* – contei.

Eu percebi que ele não tinha a menor ideia do que aquilo significava. Expliquei que era um jornal, e que era novo, e que estávamos trabalhando para torná-lo o primeiro jornal nacional do país. Contei a ele também que o meu trabalho era vender anúncios e que essa era a fonte de renda do jornal. Nada disso esclareceu as coisas.

– O que você faz o dia inteiro? – ele perguntou.

Ah, ele quer saber sobre a minha *agenda*. Expliquei rapidamente: ligações de vendas, reuniões, almoços de negócios, apresentações e, às vezes, jantares de negócios.

– Todos os dias?

– Sim, todos os dias.

– Você já faltou alguma vez?

– Se eu estiver doente – respondi –, mas raramente fico doente.

– E você não passa um só dia sem fazer tudo isso?

– Não, nunca. Esse é o meu trabalho. E, além disso, eu realmente gosto do que faço.

Maurice mal conseguia entender o que eu estava dizendo. Somente algum tempo depois eu pude perceber que, até o momento em que me encontrou, ele nunca havia conhecido alguém que tivesse um trabalho.

~

Naquele dia, sentada ali diante de Maurice, havia outra coisa sobre ele que eu não sabia: ele tinha uma faca no bolso da calça.

Não era exatamente uma faca, era uma pequena lâmina de barbear que ele havia roubado da Duane Reade[1], na Broadway. Por mera falta de capacidade para compreender o mundo dele, não imaginei por um momento sequer que ele poderia carregar uma arma. A ideia de uma arma naquelas mãos delicadas e pequeninas era algo incompreensível para mim. Não me dei conta de que ele poderia usar uma arma, muito menos que poderia realmente precisar de uma para se proteger da violência que permeava sua vida.

Durante boa parte de sua infância, o grande mal que Maurice precisou enfrentar veio do homem que lhe concedeu a vida.

---

[1] Drogaria e perfumaria de grande porte com várias lojas em Nova York. (N.T.)

O pai de Maurice ficou ausente por muito tempo, mas no curto período em que se fez presente, era sempre uma presença nociva – como uma serra elétrica fora de controle, que ninguém conseguia desligar. Também recebeu o nome de Maurice, o mesmo de seu falecido pai, mas quando nasceu ninguém sabia ao certo como escrevê-lo, então ele se tornou Morris. Não demorou muito para que as pessoas passassem a chamá-lo de Canhoto, porque, embora ele fosse destro, sempre usava a mão esquerda para golpear as pessoas.

Morris tinha apenas 1,58 metro de altura, mas o tamanho dele só o tornava mais rígido e agressivo, como se tivesse de provar algo a cada minuto do seu dia. No perigoso bairro no leste do Brooklyn onde ele vivia, Morris era um dos homens mais temidos. Tratava-se de um trecho com pouco mais de 2,5 quilômetros conhecido como Brownsville, o lugar de origem da temerosa gangue dos anos 1940, Murder Inc., que mais tarde se tornaria o local para algumas das gangues mais perigosas do país.

Como um integrante da abominável gangue de rua Tomahawks, Morris era um bandido que vivia armado e fazia isso sem modéstia. Com frequência assaltava até mesmo pessoas que conhecia. Havia um jogo de dados na Howard Avenue do qual quinze ou vinte pessoas participavam, empilhando notas de dez e de vinte dólares em um recipiente. Morris gostava de jogar às vezes. Certa noite ele confessou que estava roubando no jogo.

– Ninguém rouba nada de mim! – um dos homens esbravejou.

Morris golpeou o homem com uma coronhada no rosto e o derrubou. Em seguida, pegou várias centenas de dólares e foi embora. Ninguém disse uma palavra. No dia seguinte, Morris ficou encostado em um carro na frente do prédio onde vivia, satirizando todas as pessoas que ele havia roubado enquanto elas passavam. Ele as desafiava a dizer algo. Ninguém se manifestou.

Morris finalmente encontrou o seu par com uma vela de ignição chamada Darcella. Magra e bonita, de pele mulata e macia, Darcella era uma das onze filhas de Rose, uma mãe solteira de Baltimore que se mudara com a família para o bairro de Bed-Stuy, no Brooklyn. Darcella cresceu rodeada pelos irmãos e tornou-se tão agressiva quanto eles; era conhecida por brigar com qualquer um que cruzasse seu caminho, homem ou mulher, distribuindo socos sem nunca se cansar. As pessoas não tinham certeza se ela era louca ou simplesmente má. Durante a adolescência, era uma das poucas integrantes do sexo feminino dos Tomahawks e vestia a jaqueta de couro preta da gangue com orgulho.

Até que se apaixonou por um membro que a impressionou pela sua arrogância. Morris e Darcella nunca formaram um par perfeito. Ambos eram muito explosivos, exageradamente parecidos um com o outro, mas ficaram juntos mesmo assim. Ela o chamava de Junebug, uma variação de Júnior, já que teoricamente ele era Maurice Jr. Ele a chamava de Red – um apelido para mulheres mulatas. Tiveram três filhos, todos antes que Darcella completasse vinte anos. Primeiro nasceram as duas meninas, Celeste e LaToya. E, por último, o garoto – a quem Darcella deu o nome de Maurice.

Infelizmente, para Maurice e suas irmãs, a linguagem que seus pais compreendiam melhor era a violência, e não as palavras. Morris era alcoólatra e também usuário de drogas pesadas – cocaína, maconha e Wild Irish Rose[2] despertavam suas crises de fúria. Quando aparecia em casa, era para atacar a família com ofensas e agressões. Frequentemente, batia na cabeça das filhas; certa vez, acertou Celeste com tanta força que rompeu o tímpano dela. Morris batia e empurrava Darcella a socos com a mesma crueldade que aterrorizava todos em Brownsville. Também esbofeteava e empurrava Maurice, seu único filho. Quando o garoto chorava, o pai o repreendia:

– Cala a boca, seu inútil! – e batia no garoto novamente.

Morris desaparecia por vários dias para ficar com sua "namorada", Diane. Depois, voltava para casa e advertia Darcella para que ela nunca procurasse outro homem. Até que a traição de Morris finalmente afastou Darcella; ela saiu de casa com os

---

2 Tipo de vinho de sobremesa com sabores de frutas. (N.T.)

filhos e encontrou um apartamento no pobre Marcy Projects, em Bed-Stuy – um complexo com 27 prédios de seis andares cada, distribuídos em quase trinta hectares, com 1700 apartamentos e mais de 4 mil moradores. O Marcy era um lugar repleto de drogas e violência, longe de qualquer conceito de pureza. Mas para Darcella era um abrigo, onde ela buscava refúgio de uma ameaça ainda maior.

Morris os encontrou mesmo assim. Certa noite, ele invadiu o apartamento exigindo falar com ela.

– Red, não aceito que você me abandone – declarou, chorando. – Eu te amo.

Diante do filho Maurice, que acompanhava a conversa, Darcella se manteve firme.

– Eu não quero mais – contestou. – Você não é bom, saia.

Morris ergueu a mão esquerda e deu um soco no rosto de Darcella.

Ela caiu no chão e Maurice agarrou a perna do pai, tentando impedir que ele a machucasse novamente. Morris jogou o menino contra a parede – o que foi um grande erro: Darcella viu o filho no chão, correu para a cozinha e voltou com uma faca.

Morris não se intimidou. Não era a primeira vez que ele se via diante da ponta de uma faca.

– O que você vai fazer com isso? – perguntou.

Darcella avançou contra o peito dele. Ele tentou se proteger com os braços, ela os acertou. E continuou esfaqueando-o, de novo e de novo. Ele tentava se defender dos golpes, até que finalmente cambaleou até o corredor e caiu, coberto de sangue, chorando:

– Red, você me apunhalou! Você tentou me matar! Não acredito que você fez isso!

Maurice, com os olhos arregalados, assistiu a tudo. Finalmente a polícia chegou e perguntou a Morris quem o havia atacado com tanta violência.

– Uns caras – ele respondeu.

Depois disso, Morris desapareceu. Maurice, com apenas cinco anos, viu seu pai partir. A família, ele sabia, estava destruída.

~

Naquele primeiro almoço com Maurice, ficamos juntos por mais de meia hora, mas eu não queria dizer adeus. Quando saímos da lanchonete e pisamos na rua, o sol brilhava forte, então perguntei a ele se gostaria de caminhar um pouco no Central Park.

– Sim – ele deu de ombros.

Caminhamos até a parte sul do parque e seguimos em direção ao Great Lawn, a famosa área de gramado do Central Park. Ciclistas, corredores, mães com seus bebês, adolescentes sorridentes, todos pareciam tranquilos e despreocupados. Mais uma vez, não falamos muito; apenas caminhamos lado a lado. Eu queria saber mais sobre ele e sobre as circunstâncias que o levaram a pedir dinheiro na rua, mas hesitei porque não queria que Maurice pensasse que eu estava bisbilhotando sua vida.

Perguntei-lhe apenas uma coisa.

– E você, Maurice? O que quer ser quando crescer?

– Eu não sei – ele respondeu, sem pensar muito.

– Não? Você nunca pensou sobre isso?

– Não – mais uma vez ele respondeu sem rodeios.

Maurice não passava os seus dias sonhando em se tornar um policial, ou um astronauta, ou um jogador de beisebol ou o presidente; ele nem mesmo sabia que esses eram os sonhos da maioria dos garotos. E, mesmo que pudesse imaginar uma vida além da miséria que era o seu mundo, qual seria o propósito desse sonho? Não havia nada que Maurice desejava ser porque não havia razão para acreditar que ele poderia ser algo exceto o que era – um parasita, um mendigo, uma criança de rua.

No parque, havia uma brisa leve e fresca, as folhas balançavam nas árvores e o sol espreitava por entre os olmos gigantes.

Sentíamos como se estivéssemos a quilômetros de distância de todo o concreto da cidade. Não perguntei mais nada. Apenas permiti que ele aproveitasse aquela pausa na sua rotina. Quando saímos do parque, passamos na Häagen-Dazs e eu perguntei se ele queria um sorvete.

– Posso pedir um cone de chocolate? – ele perguntou.

– Como quiser – eu respondi.

Pedi dois cones e, quando entreguei um a ele, pude vê-lo sorrir pela primeira vez. Não era um grande sorriso, entusiasmado e com os dentes à mostra como vemos na maioria das crianças. O sorriso veio e se foi muito rápido. Mas ele sorriu, eu vi, e aquilo me parecia algo belo e reluzente.

Quando terminamos o sorvete, eu perguntei:

– Tem mais alguma coisa que você queira fazer?

– Podemos jogar video game?

– Claro que sim!

Então caminhamos até um fliperama na Broadway. Dei algum dinheiro a ele e fiquei observando enquanto jogava Asteroids. Ele perdeu algumas partidas do jogo, como qualquer outra criança. Pressionava o *joystick*, colocava a língua à mostra, ficava de pé nas pontas dos dedos e fazia barulho quando explodia as coisas com os mísseis da nave espacial. Foi divertido vê-lo jogar.

Mais tarde, naquele mesmo dia, percebi que comprar um almoço para Maurice e passar algumas horas com ele fizeram me sentir muito bem – e isso me custou muito pouco tempo e dinheiro. Por outro lado, também me fez sentir culpada. Teria eu feito tudo aquilo apenas para me sentir bem por um momento? Será que eu tinha simplesmente trocado a distração de olhar vitrines ou de ir ao cinema pela distração de comer um hambúrguer e um sorvete com Maurice? Haveria algum paternalismo inerente no que eu fiz, ou até mesmo certa exploração da situação?

Ao ajudar uma criança pobre, nos sentimos melhores em relação à nossa própria vida?

Não obtive as respostas naquele momento. Tudo o que eu sabia era que a companhia de Maurice me fez bem. Saímos do fliperama, caminhamos pela Broadway e viramos na 56th Street, exatamente onde nos encontramos. Abri a minha bolsa e entreguei a Maurice meu cartão de visita.

– Olhe, quando você sentir fome, por favor, ligue para mim e eu lhe trarei algo para comer.

Maurice pegou o cartão, olhou e o colocou dentro do bolso.

– Obrigado pelo almoço e pelo sorvete – ele agradeceu. – Eu tive um dia muito legal.

– Eu também – admiti. Em seguida, ele foi para uma direção e eu para outra.

Eu me perguntei se veria Maurice novamente. Era muito provável que não. Naquele momento, eu não sabia como as coisas eram difíceis para ele, como a vida com sua família era horrível. Se soubesse, jamais o teria deixado para trás. Acho que o teria abraçado e nunca mais soltado.

Mas o fato é que eu fui embora e, quando olhei para trás para tentar encontrá-lo em meio a toda aquela agitação da Broadway, ele já havia ido embora, desaparecido. Eu tinha de aceitar que ele tinha saído da minha vida para sempre – que a nossa estranha amizade tinha acabado do mesmo jeito que começara.

Porém, eu acreditava e ainda acredito que há uma força no universo que une pessoas que precisam uma da outra. Há algo que ajuda duas pessoas completamente diferentes a criarem um vínculo. Talvez as coisas que mais tememos acabem nos levando a procurar alguém que possa nos consolar. Talvez o meu próprio passado tenha me feito voltar e encontrar Maurice naquele dia. E talvez – apenas uma possibilidade – aquele fio invisível do destino nos unisse novamente.

Enquanto eu caminhava de volta para casa, senti um enorme arrependimento, pois eu tinha deixado um cartão de visita com Maurice, mas não tinha lhe oferecido dinheiro para fazer a ligação.

Isso aconteceu muito antes da era do telefone celular e eu não sabia se ele tinha uma linha de telefone fixo em casa. Se ele tentasse me ligar, provavelmente usaria um telefone público, e para isso teria de pedir esmola.

De qualquer maneira, isso não fez a menor diferença.

No caminho para casa, Maurice jogou o meu cartão no lixo.

capítulo 3

uma boa oportunidade

Durante o trabalho, no dia seguinte, não consegui tirar Maurice da cabeça. Contei a Valerie, minha chefe e amiga, sobre o nosso almoço, e contei também a mais alguns colegas do departamento comercial (Paul e Lou) que eu havia encontrado uma criança incrível. Todos tiveram a mesma reação: "Que ótimo", "Que bom para você", "Que ótima ação". Para eles, aquilo não parecia algo muito relevante.

Claro, todos nós estávamos muito empenhados com os negócios da publicidade. Quando encontrei Maurice, eu era responsável pela captação de empresas financeiras para anunciar no *USA Today*. Passei um bom tempo ligando para os meus contatos da Drexel Burnham Lambert, uma instituição financeira, procurando por suas *tombstones*: anúncios que divulgam formalmente a oferta de ações de uma determinada companhia. As *tombstones* eram algo chato, anúncios extremamente objetivos e repletos de números e letras – nenhuma foto, nenhum atrativo. Mas, para nós, eles eram como uma tela de Picasso – páginas e mais páginas de agradáveis comissões.

Para mim, a maior conquista foi a American Express. A equipe de classificados deles estava interessada na ideia de comprar um espaço no *USA Today*, mas estavam inseguros porque não sabiam se conseguiríamos produzir os seus anúncios com a qualidade que tanto prezavam. Passei meses e meses bajulando-os para convencê-los. Eu sabia que conquistar um cliente tão prestigioso seria algo muito importante, tanto para o jornal como para mim. Os meus contatos na American Express eram duas mulheres imponentes, impenetráveis. Durante inúmeras reuniões e almoços, senti que não estava chegando a lugar algum. Então, em uma tarde, estava na minha mesa do escritório quando uma dessas mulheres irredutíveis me ligou: a American Express toparia duas páginas no jornal. Se eles se sentissem satisfeitos com o anúncio e com a posição dele no jornal, estava certa de que acabariam comprando mais espaço. E assim aconteceu: finalmente contrataram aproximadamente cem páginas de anúncios. Essa foi uma grande conquista minha, o momento do qual eu mais me orgulho no *USA Today*. Quando encontrei Maurice, estava no auge da minha carreira.

Foi um caminho longo, muito longo para chegar aonde cheguei.

~

Quando concluí o Ensino Médio em Huntington Station – a cidade em Long Island onde eu cresci –, meu sonho não era obter um diploma universitário. O que eu queria mesmo era ser aeromoça. Era uma péssima aluna, mas a única coisa que queria era sair da minha cidade natal e conhecer o mundo. Imaginei que trabalhar em uma companhia aérea seria a forma de realizar meu sonho.

Porém, no início, fui secretária em uma empresa de seguros. Trabalhava para três adoráveis senhores que usavam gravata e camisa de manga curta e minha função era redigir cartas, atas e atender ao telefone. Como as minhas habilidades administrativas não eram muito boas, me matriculei em uma escola de secretariado e foi lá, em meio às barulhentas máquinas de escrever Remington, que conheci a mulher que trabalhava na Icelandic Airlines.

Ela me disse que a empresa estava contratando funcionários para o escritório. Não era o meu sonho, sinceramente – eu trabalharia em uma mesa em vez de trabalhar nas nuvens –, mas era um começo. Consegui agendar um horário na companhia aérea para um teste de datilografia, e pratiquei a noite toda.

Quando fiz o teste, me mantive concentrada o tempo todo e saí de lá certa de que tinha conseguido as benditas sessenta palavras em um minuto.

Não fui aprovada.

Fiquei chocada com o resultado e perguntei à responsável – não perguntei, implorei – se eu poderia andar um pouco pelo quarteirão e voltar para fazer o teste novamente.

– Por favor, por favor! Eu estava nervosa. Eu não cheguei nem perto do meu melhor.

Ela ficou com pena de mim e disse que eu poderia sair para andar um pouco. Quando voltei, respirei fundo e comecei a digitar novamente.

Fui reprovada de novo.

Agora, aquela mulher sentia *muita* pena de mim. As minhas duas tentativas fracassadas deram-me a oportunidade de conversar com ela, de ultrapassar a barreira da formalidade e de ser uma pessoa real: vulnerável, porém determinada; um pouco boba, mas muito comunicativa. Percebi que esse era o meu ponto forte. A responsável pelo teste gostou de mim e me recomendou para uma posição de recepcionista.

No meu último dia na empresa de seguros, eu dirigi o meu Volkswagen bege 1964 pela Northern State Parkway sentindo que a minha vida, aos dezenove anos, estava finalmente começando. Passei por um carro com duas freiras e elas sorriram alegremente para mim. Correspondi com o sorriso mais alegre que pude.

– Até mais, meninas! – eu disse para elas, e acelerei.

Saí da pista lenta para a pista rápida e percebi que estava perdendo o controle do carro – passei por uma fenda que dividia as duas pistas e o carro pulou em um instante. Perdi o controle do volante e, antes que me desse conta, o carro desviou em direção ao parapeito. Fiquei muito assustada, segurei o volante novamente e o virei bruscamente para a direita. Meu carro girou três vezes antes de capotar no meio da estrada.

Houve um enorme silêncio e cacos de vidro se espalharam por toda parte. Fiquei deitada no teto do carro, de frente para os bancos. Olhei para a esquerda e vi as duas freiras com o rosto muito preocupado. Um executivo que tinha parado ao ver o acidente tirou o paletó, colocou-o na parte inferior da janela quebrada e me puxou para fora do carro. As freiras tentavam me consolar enquanto eu chorava desesperadamente.

Fui levada ao hospital por uma ambulância e percebi que, apesar dos olhos roxos e de estar sem voz de tanto chorar, nada grave havia acontecido comigo; sobrevivera ao acidente sem nenhum arranhão. Procurei pelas duas freiras, mas elas não estavam mais lá. Talvez elas tenham sido o meu anjo da guarda e me protegeram de ferimentos graves. Talvez Deus tivesse outros planos para mim.

~

O escritório da Icelandic ficava na 50th Street com a 5th Avenue, bem no centro de Manhattan. Era em frente à catedral de St. Patrick, a cem metros da loja Saks da 5th Avenue, próximo à esquina da 30 Rock. Senti como se eu fosse "a garota"[3] e, se eu usasse um chapéu ou algo do gênero, com certeza o jogaria para o alto todos os dias, de tanta felicidade. O trabalho não era muito empolgante – eu atendia ao telefone, recepcionava as pessoas, coisas do gênero –, mas eu adorava o que fazia porque a experiência era nova e interessante. Com o tempo, fui promovida a secretária, e depois para vendas por telefone, que era um nome chique para o setor de reservas. O mais emocionante de tudo foi que a premissa ingênua do meu sonho – a de que trabalhar em uma companhia aérea de certa forma me traria a oportunidade de conhecer o mundo – de fato tornou-se realidade. Eu tinha diversos descontos em passagens aéreas e em tarifas de hotéis. Era tão incrível que frequentemente

---

[3] A série norte-americana chamada *That Girl*, veiculada pela ABC, ficou no ar de 1966 a 1971. (N.T.)

eu ia com uma amiga para Roma em uma sexta-feira à noite, passava o sábado fazendo compras no distrito de Trastevere e voltava para Nova York no domingo à noite. Outras vezes eu tinha bilhetes de ida e volta para Kitzbüel, Áustria, além de seis noites em um chalé aconchegante, tudo por 57 dólares! Não foi à toa que fiquei cinco anos na Icelandic.

Mas, depois de um tempo, eu ansiava por outras coisas. Eu observava as pessoas trabalhando com vendas e imaginei que eu também poderia ser boa nisso. Conversar com as pessoas, conquistar a confiança delas, bater um papo no almoço, fazê-las enxergar as coisas da *minha* maneira - senti que talvez essa poderia ser a minha vocação. O único problema era que na Icelandic a equipe de vendas era composta apenas por homens - exceto, claro, por Gudrun.

Gudrun era a escandinava de beleza escultural que representava o símbolo feminino de vendas na empresa. Percebi muito rapidamente que eu jamais conseguiria superá-la. Sim, eu era encantadora e persuasiva do meu jeito e, claro, eu era uma morena muito bonita e alegre. Mas Gudrun era loira, alta e linda, quase como uma deusa mítica nórdica. Sabia que tinha atingido o ponto máximo na Icelandic e, se eu desejava uma carreira em vendas, teria de ir além. Estabeleci para mim mesma o objetivo de encontrar um emprego na área de vendas dentro de seis meses.

Então vi um anúncio no *The New York Times*: "Procura-se vendedor de anúncios para publicação sobre negócios em turismo". Não possuía nenhuma experiência, tampouco conhecimento na área de publicidade, mas entrei em contato e agendei uma entrevista. Na noite anterior à minha visita ao escritório da revista *Travel Agent*, eu planejei o seguinte: preparar um bom jantar, lavar os cabelos, escová-los, fazer as unhas, ter uma excelente noite de sono, sair pela porta e chegar à entrevista com quinze minutos de antecedência. Mas as coisas nem sempre acontecem, digamos... da forma como planejamos. Quando estava cortando os talos dos aspargos para o jantar, quase arranquei uma parte do meu dedo indicador esquerdo.

O sangue *jorrava*. Felizmente, tinha uma grande amiga, Kim, que morava na mesma rua. Cobri o dedo com uma toalha e fui correndo até o apartamento dela. Ela me levou para o pronto-socorro do hospital Lenox Hill, onde esperamos por quatro horas enquanto pessoas com casos realmente graves – pessoas baleadas, com problemas intestinais, traumatismo craniano – eram atendidas com prioridade em relação ao meu pequeno incidente na cozinha. Finalmente chegou a minha vez. O médico encheu o meu dedo de Novocaína e pegou uma agulha de ponto. Eu chorava tanto que ele pediu a ajuda de uma enfermeira, e depois de outra, e os três fizeram o que podiam para me manter consciente enquanto costuravam o meu dedo com oito pontos. O que eu posso fazer? Tenho pavor de agulhas desde menina.

Quando cheguei em casa, pouco antes da meia-noite, desabei na cama. Não tinha comido nada, nem arrumado o cabelo e tampouco tinha feito as unhas. Nas primeiras horas da manhã seguinte, pulei da cama, fiz um rabo de cavalo e corri para a entrevista na West 46th Street. Sabe-se lá como, cheguei às 7h15, como havia planejado. A pessoa que me entrevistaria, David, entrou na sala de espera, olhou fixamente para o meu dedo com curativo e me perguntou o que havia acontecido.

– Ah, eu cortei o meu dedo ontem à noite.

– Espero que não tenha sido nada grave.

– Não, não. Não foi.

– Você precisou de pontos?

– Sim, oito.

– Oito?! – ele perguntou. – Por Deus! Você quase cortou o dedo fora!

Então, ele olhou para o relógio.

– Sabe, este é um negócio altamente competitivo, no qual a pontualidade é extremamente importante. Estou impressionado que você tenha recebido oito pontos ontem à noite e mesmo assim conseguiu chegar aqui com quinze minutos de antecedência.

A entrevista começou bem.

David levou-me até a sua mesa e franziu a sobrancelha quando olhou o meu currículo.

– Você não tem experiência nenhuma com vendas – disse. – E não fez faculdade.

Já esperava ouvir isso e sabia exatamente o que responder.

– Olha, sei que não tenho muita experiência. Mas posso dizer algo: se acha que *você* trabalha duro, precisa me ver trabalhando, porque vai ver que vou me esforçar duas vezes mais que você. E, se você me contratar, posso prometer que jamais se arrependerá disso.

E, então, o argumento:

– David, eu não estou procurando por muitas oportunidades na vida. Mas estou procurando *a* oportunidade.

David me contratou três dias depois. Às vezes, uma boa oportunidade é tudo o que você precisa.

~

Quando conheci Maurice, eu já tinha enterrado todas as inseguranças que sentia por não ter um diploma. Certamente jamais mentiria para alguém se o assunto viesse à tona. Eu diria "Não, eu nunca fiz faculdade" e mudaria para qualquer outro assunto rapidamente. Mas, a partir de 1986, aquilo que era um fardo para mim tornou-se uma questão de honra. Eu era um cachorro abandonado, de raízes humildes, que saiu da pobreza para trilhar o seu caminho no mundo.

Tinha um armário cheio de vestidos elegantes da Albert Nipon e um LeBaron prata na garagem. Também possuía uma pasta executiva maravilhosa de couro marrom da Ghurka, e paguei trezentos dólares em uma agenda da mesma grife para combinar com a pasta. Enchi de bons móveis a minha aconchegante quitinete em formato em L no Symphony e mantinha flores frescas e todas essas coisas – tudo aquilo que nos anos 1980 em Manhattan era sinônimo de prestígio e sucesso. Todo esse conforto material me fazia feliz, de verdade.

Mas todos esses bens não faziam com que eu me sentisse *realizada*. Tinha a vaga sensação de que algo estava faltando. Estava buscando a realização de um sonho – ter uma carreira bem-sucedida a qualquer custo. Amava o que fazia, e trabalhava com muita paixão, mas o meu trabalho me consumia, e não me restava tempo para perceber o que eu estava perdendo da vida. Não havia quase nada capaz de tirar a minha concentração do trabalho.

Porém, alguns dias depois de conhecer Maurice, eu andava sempre distraída. Fazia as minhas ligações e comparecia às reuniões e, ainda assim, pensava nele o tempo todo. Queria saber mais sobre Maurice, começando por entender o que o fazia pedir dinheiro nas ruas.

Decidi que não esperaria a ligação dele.

Eu iria procurá-lo.

capítulo 4

o presente de aniversário

Na quinta-feira após meu almoço com Maurice, ao término de um longo dia de trabalho, voltei para aquela esquina onde nos encontramos. Não o reconheci à primeira vista – eram umas 19h30, quase o fim do horário de *rush,* e as calçadas ainda estavam muito cheias. Mas lá estava ele, exatamente no mesmo lugar onde o deixei. Estava vestindo o mesmo conjunto de moletom e os mesmos tênis brancos e sujos. Quando ele me avistou, sorriu. Dessa vez, o sorriso não desapareceu tão rapidamente.

– Olá, Maurice! – eu o cumprimentei.

– Olá, dona Laura.

Fiquei surpresa com a formalidade. Alguém, em algum momento do caminho, o havia ensinado a ser educado.

– Como você está, Maurice? Está com fome?

– Estou morrendo de fome.

Fomos ao McDonald's novamente. Ele fez o mesmo pedido de antes – Big Mac, batatas fritas, milk-shake de chocolate – e eu também pedi o mesmo. Desta vez Maurice comeu mais devagar. Pedi a ele que me contasse sobre sua família.

Ele contou que morava em um albergue com a mãe, Darcella, com a avó Rose, as irmãs Celeste e LaToya. Essa era a verdade, mas apenas parte dela, como descobri depois. A princípio, Maurice não quis contar os detalhes da sua vida e omitiu as coisas mais amargas. Naquele momento, pensei que fosse timidez ou talvez que ele não quisesse me assustar. Se ele quisesse a minha compaixão, teria me contado um ou outro fato ruim sobre sua vida, mas não o fez. Maurice não queria a compaixão de ninguém. Estava tentando apenas sobreviver.

– E o seu pai? – eu perguntei.

– Ele não mora com a gente.

– O que aconteceu com ele?

– Ele foi embora.

– E a sua mãe? Ela sabe que você está aqui na rua?

– Ah, ela não liga.

Eu não conseguia acreditar que aquilo fosse verdade, mas não sabia nada a respeito da mãe dele. Maurice sempre entrava e saía de casa quando quisesse; ninguém nunca perguntava onde ele esteve ou para onde estava indo, fosse de dia ou de noite. Ele não dava satisfações a ninguém e ninguém nunca tomava conta dele, de fato.

Quando o conheci, Maurice havia recebido apenas dois presentes em sua vida inteira.

Um dos presentes foi um pequeno caminhão de brinquedo da Hess, que ganhara do seu tio Dark quando tinha quatro anos.

O outro presente ele ganhou de sua avó Rose quando fez seis anos.

– Aqui está – disse ela, segurando uma pequena coisa branca.

Era um baseado.

~

Rose tinha 1,49 metro de altura e era tão robusta quanto se tivesse dois por quatro. Nascida no interior da Carolina do Norte, ela cresceu em meio à pobreza extrema e aprendeu desde cedo a lidar com a adversidade. Enfrentou as circunstâncias sendo resistente diante de qualquer um que atravessasse seu caminho. Rose era muito bonita, tinha o olhar radiante e o sorriso envolvente, e os homens brigavam para chamar sua atenção. Mas, cedo ou tarde, todos eles aprendiam: Rose não aguentava desaforo de ninguém. Ela gostava de dizer: "Vou tirar você de circulação!", o que significava que ela mataria e sumiria com o corpo da pessoa.

Essa não era uma falsa ameaça: Rose carregava uma navalha afiada, que ela apelidou de "Betsy".

Maurice gostava de acompanhar a avó; ele admirava toda aquela coragem. Um dia, eles estavam juntos no metrô quando um homem, sem a intenção, pisou no bota Timberland que ela calçava. Rose levantou-se, derrubou-o no chão do vagão e gritou:

– Um passo pra trás, cara. Meus Timberlands estão no caminho!

O homem, apavorado, só pôde dizer:

– Você é louca, senhora.

Foi quando Maurice, apenas uma criança, disse a ele:

– Ei, é melhor você calar a boca.

Ele sabia que se o homem dissesse alguma coisa, conheceria "Betsy".

Mesmo os mais próximos a Rose corriam esse risco. Um de seus namorados, Charlie, era um cara alto, magro e sofria de uma gagueira terrível. Maurice se divertia com as discussões deles, porque a gagueira de Charlie fazia suas provocações parecerem bobas. Mas, certa noite, Charlie ultrapassou os limites.

– R-R-R-R-Rosa, – ele disse – eu vou a-a-a-a-acabar com você.

Rose pulou em cima dele com a Betsy na mão e o cortou do rosto até o peito. Maurice, assustado demais para se esconder, ficou parado observando Charlie ensanguentado no sofá.

– Vo-vo-vo-vo-cê é louca! – foi tudo que Charlie conseguiu dizer.

Rose retrucou:

– Você tem sorte que eu não acertei a sua jugular.

~

Rose teve seis filhos, que permaneceram com ela até a fase adulta, começaram a se separar e se afastaram aos poucos. Maurice os conhecia como seus tios – um grupo de homens que, para o bem ou para o mal, mostrou-lhe como viver nas ruas.

O mais velho deles era um ex-fuzileiro naval, que voltou do Vietnã muito traumatizado. Maurice apreciava a companhia do tio E, exceto quando ele subitamente saía correndo e o deixava no meio da rua. Quando Maurice perguntava:

– Tio, o que aconteceu?

– Você não viu aqueles caras? – o tio dizia. – Os vietcongues... Eles estavam me perseguindo. Aqueles bastardos de olhos puxados estavam correndo atrás de mim.

Assim como todos os seus irmãos, o tio E era envolvido com o tráfico de drogas, porém de forma amena; era um cara de pequeno porte. Boa parte das vezes, seus irmãos o mantinham longe das negociações e chamavam-no somente para as execuções. Ele era bom nisso, não porque fosse forte ou violento, mas porque gostava de planejar emboscadas para punir os inimigos de sua família. "Treinamento de guerra", ele dizia.

Maurice também tinha um tio que era chamado de Dark, porque tinha a pele negra. Era o mais esperto de todos, ou pelo menos esperto o suficiente para conseguir trabalho esporadicamente em um caminhão de frigorífico e aproveitar para vender cocaína durante seu turno. Em pouco tempo, desistiu do trabalho legítimo e dedicou-se inteiramente ao tráfico de drogas. No Brooklyn, tinha a reputação de traficante: vendia o que você precisava, mas se você de alguma forma o aborrecesse, se arrependeria muito rapidamente.

Um dos irmãos era conhecido por todos como tio Limp[4] porque tinha uma perna manca. Quando esteve preso, ele aderiu ao Five Percent Nation, um movimento da Nation of Islam no Harlem – um bairro da cidade de Nova York –, e passou a defender uma série de teorias sobre Deus e o Diabo e o papel do homem negro na sociedade. Todas as vezes que era preso, voltava com ideias mais fortes e cada vez mais fantasiosas, até que ninguém mais conseguia compreendê-las:

[4] Verbo em inglês cujo significado é mancar, caminhar com dificuldade. (N.T.)

– O homem negro asiático é a personificação dos poderes esotéricos de Deus – ele proclamava. Para Maurice, tio Limp era um dos mais alucinados.

Tio Old, o segundo irmão mais velho, era o pior do grupo. Eles o chamavam de Old porque ele parecia o mais velho de todos, e tomava conta dos negócios com extrema autoridade. Era baixo, como o pai de Maurice, e extremamente violento – ele acreditava que garotos como Maurice precisavam apanhar para aprender a brigar nas ruas. Assim, Maurice recebia dele muitas palmadas e socos. Durante a infância, Maurice ouviu rumores de que o tio Old havia assassinado vários homens.

Tio Old também era o maior e mais bem-sucedido traficante de todos os tios. Nos anos 1980, quando a epidemia do crack atingiu a cidade de Nova York com a força de um furacão, ele ganhou notabilidade ao comprar cocaína dos distribuidores dominicanos na 145th Street e na Broadway, em Manhattan. Tio Old trazia a droga para casa, transformava-a em crack e a revendia no Brooklyn. Às vezes, levava Maurice consigo para fazer a retirada. Homens munidos com metralhadoras revistavam Maurice à procura de armas e apontavam uma pistola para sua cabeça enquanto o tio recebia as drogas. O menino, que tinha apenas dez anos, não sentia medo ao ter uma arma apontada para ele. Àquela altura, ele já tinha aprendido que aquilo era apenas um procedimento.

O mais novo do grupo, apenas quatro anos mais velho que Maurice, não era tão ousado. Era o mais bonito dos tios, aquele que as garotas amavam, e Maurice o conhecia como o tio Nice ou tio Cassanova. Era também um dos irmãos mais espertos, embora isso não lhe fizesse muito bem. Fracassou como traficante de drogas e por muitas vezes acabou na cadeia. Hoje está preso pela justiça federal cumprindo pena de dez anos por tráfico de drogas.

E havia o aspirante a cantor de *hip hop*, que apelidou-se Juice. O tio Juice tinha pavor de polícia e por isso nunca se uniu aos irmãos no negócio com drogas, mas fumava mais maconha do que todos eles juntos. Seu apego à maconha o manteve em um nevoeiro permanente, criando rimas que nunca chegavam a lugar algum, assim como os seus sonhos. No ataque de 11 de setembro, tio Juice deveria estar no World Trade Center, lugar em que trabalhou algumas vezes como mensageiro freelance. Mas, naquele dia, ele estava muito "chapado" para chegar a tempo, e acabou assistindo pela tevê o primeiro avião atingindo as Torres Gêmeas.

– Michelle, – ele disse à esposa – eu não vou para o trabalho hoje porque um avião atingiu meu prédio.

– Derek, pare com essa brincadeira – ela respondeu.

Tio Juice percebeu então que a torre em que trabalhava não havia sido atingida, se vestiu e se preparou para ir ao trabalho. Enquanto amarrava o cadarço do tênis, o segundo avião atingiu a segunda torre.

– Um avião atingiu o outro prédio – disse ele ao sentar no sofá e preparar o cigarro de maconha. – Agora é que eu não vou mesmo.

Alguns dias depois, Maurice perguntou:

– Tio Juice, você tem noção do quanto é sortudo?

– Não sou sortudo. Eu sabia que os aviões estavam a caminho. Os ratos das torres me contaram. E é por isso – ele disse a Maurice, em tom de quem dá um conselho, como os tios geralmente fazem – que você nunca deve chegar ao trabalho no horário certo.

~

Com o passar dos anos, os tios vinham e iam. Às vezes, nenhum deles estava presente; outras, somente um ou dois; e, em outros momentos, todos os seis. Para Maurice, eles eram a família. A única família que ele conhecia.

Os tios, junto da mãe e da avó, eram as pessoas que mais se preocupavam com ele. Para os padrões da sociedade, poderia parecer que eles não se importavam nem um pouco com ele. Mas em uma cidade tão adversa, repleta de albergues que abrigavam pessoas transtornadas e violentas, os parentes de Maurice eram seus únicos protetores. Ele sabia de que lado estava e sabia também que estava seguro, se não contra todos os perigos, pelo menos contra o pior que poderia lhe acontecer.

Maurice tinha consciência de que sua família o amava – da maneira deles. E, para ele, a avó era alguém com quem poderia contar quando realmente precisasse.

Certa noite, quando a família estava hospedada no sórdido albergue Prince George na West 28th Street em Manhattan, a mãe de Maurice não voltou para casa. Também não apareceu na noite seguinte. E passaram-se duas semanas sem que ela aparecesse. Ninguém sabia o motivo; um dia ela estava lá e no outro, não estava mais. As irmãs mais velhas de Maurice entenderam isso como um sinal de que deveriam cuidar de si mesmas e, apesar de serem adolescentes, foram morar com os namorados, todos mais velhos que elas. Os tios de Maurice estavam espalhados e a avó Rose estava morando em outro albergue, o Bryant, na parte mais alta da cidade.

Assim, aos dez anos, Maurice ficou sozinho no Prince George. À noite, ele saía para caminhar na Park Avenue e conversava com as prostitutas que trabalhavam nas ruas. Um dos cafetões, conhecido como Snake, passou a protegê-lo.

– Você, garotinho – Snake o chamou. – Preciso que faça algo para mim.

Snake pediu a Maurice que vigiasse quando os homens chegavam de carro e negociavam com as prostitutas. Eles estacionavam e as prostitutas entravam no carro. Snake não queria que ninguém demorasse muito; ele precisava das garotas nas ruas para conseguir mais dinheiro. Então, pediu a Maurice:

– Se você ver alguma dessas prostitutas dentro do carro por mais de cinco minutos, bata no vidro e diga que a polícia está vindo.

Maurice fazia isso todas as noites, até que o dia amanhecesse. Snake o pagava com notas de um dólar, e às vezes ele encerrava a noite com cem dólares.

De certa forma, esse foi seu primeiro emprego.

Quando o sol nascia, Maurice sempre gastava o dinheiro da mesma forma: jogava video game por horas no fliperama da Times Square.

Um dia, ele ouviu alguém bater forte na porta, no Prince George. Eram sete da manhã e Maurice havia acabado de chegar das ruas. Ele achou que fosse um vizinho ou talvez um dos seus tios, então abriu. Eram dois homens de terno. Fechou a porta novamente e a trancou; os homens continuaram batendo.

– Abra! Precisamos falar com você! – eles gritaram.

Maurice foi até a janela e pensou em pular, mas estava no décimo terceiro andar. Os homens começaram a bater mais forte. Por fim, Maurice elaborou um plano e abriu a porta.

– Nós somos do Bureau of Child Welfare[5]– disse um dos homens. – Precisamos levá-lo até o saguão.

Maurice não disse uma palavra sequer e seguiu os homens. Esperou apenas uma pequena distração deles: quando pararam para fazer uma ligação, Maurice fugiu.

– Peguem esse garoto! – eles gritaram, passando instruções pelos seus rádios enquanto o perseguiam. Maurice correu até o próximo quarteirão e olhou para trás; os homens haviam entrado em uma van branca e estavam procurando por ele. Virou-se rapidamente e foi para o outro lado da rua, no sentido contrário para que a van não pudesse alcançá-lo, mas o carro dobrou a esquina e continuou a persegui-lo. Correu até a 5th Avenue, mas eles continuavam em sua direção. Quando os homens se aproximaram, Maurice se jogou embaixo de um carro e se escondeu enquanto eles aceleravam. Mas, quando se levantou, os homens o avistaram novamente.

Ele passou pela loja Macy, pelo Rockefeller Center e pela catedral St. Patrick. Passou despercebido por milhares de homens e mulheres que estavam trabalhando. Foi até a 54th Street, onde sua avó estava hospedada no Bryant. Correu para dentro do albergue enquanto a van parava e os homens saíam do carro. Subiu

---

5 Espécie de departamento de proteção à criança, cuja sigla é BCW. (N.T.)

as escadas até o quinto andar e os homens vieram logo atrás dele. Foi até o apartamento da avó e bateu à porta; quando ela abriu, ele correu para entrar no mesmo momento em que um dos homens o agarrou pelo braço.

– Nós somos do BCW – disse ele. – A mãe deste garoto está presa e nós precisamos levá-lo conosco.

A avó de Maurice apontou a Betsy para os homens.

– Meu neto não vai a lugar nenhum.

E os homens foram convencidos a deixá-lo sob os cuidados da avó.

~

Quando Maurice me contou sobre o baseado que sua avó Rose havia lhe dado, ele não o fez com sarcasmo, tampouco com desprezo. Contou com muita naturalidade. Para ele, aquele era um presente de verdade, uma demonstração verdadeira de carinho. Aquilo significava que alguém havia pensado nele, o que era melhor que ser esquecido, ignorado ou invisível. Ele não sabia que havia algo de errado em receber como presente uma droga. Ele não conhecia nenhum tipo de vida sem drogas.

Ao receber o baseado, Maurice o colocou na boca, inalou e se engasgou. Tragou-o novamente e tossiu de novo. Rose então tirou o cigarro dele e, daquele dia em diante, tentou ao máximo manter Maurice longe do tormento das drogas. Ela viu algo nele naquele momento – algo diferente, especial. Talvez ela tenha visto a mesma coisa que vi quando o conheci.

Naquele segundo encontro, depois de terminarmos o nosso lanche no McDonald's, Maurice e eu caminhamos em direção à Broadway. Daquela vez, não queria apenas dizer tchau e deixá-lo seguir seu caminho.

– Maurice, você gostaria de me encontrar na próxima segunda à noite para jantarmos juntos? Desta vez nós iremos ao Hard Rock Café.

– Sim – ele respondeu. – Eu posso usar estas mesmas roupas?

Percebi que aquelas eram as únicas que ele tinha.

– Sim, pode – respondi. – Então, vamos nos encontrar na mesma esquina, às sete, ok?

– Sim, dona Laura – ele respondeu. – Obrigado pela comida.

E assim ele se foi, desaparecendo no meio da noite.

Desta vez, eu tive a sensação de que o veria novamente.

capítulo 5

a luva de beisebol

Eu estava na 56th Street exatamente uma semana depois de ter encontrado Maurice e, no meu relógio, eram 19h02. Senti que ele provavelmente viria, mas eu ainda não sabia muito sobre ele e havia milhões de razões para que ele não viesse. Homens de terno e mulheres com saltos passavam a caminho de restaurantes e bares. Às 19h05, nenhum sinal de Maurice.

Poucos minutos depois, ele surgiu caminhando na Broadway. Estava com as mesmas roupas, mas fiquei surpresa em ver que elas estavam limpas. De alguma forma, as roupas haviam sido lavadas. E o rosto e as mãos de Maurice também estavam limpos, diferentemente das outras vezes em que o encontrei.

Ele havia se esforçado para se arrumar para o jantar.

Caminhamos um quarteirão até o Hard Rock Café, que naquela época era um lugar da moda. Guitarras penduradas nas paredes e grandes hambúrgueres. A garçonete nos levou à mesa; percebi que ela foi muito agradável e atenciosa especialmente com Maurice. Era como se ela entendesse a ocasião e quisesse fazer a noite de Maurice a mais especial possível. Entregou-nos o cardápio e Maurice desapareceu atrás daquela lista enorme de aperitivos e entradas.

Quando "reapareceu", ele perguntou:

– Dona Laura, posso pedir um bife com purê de batatas?

– Você pode pedir o que quiser.

– Ok. Vou pedir um bife.

Quando a enorme, grossa e suculenta fatia de filé chegou, Maurice olhou-a como se nunca tivesse visto nada igual. Ao pegar a faca e o garfo pesados, percebi que ele não tinha a menor ideia de como utilizá-los. Segurou a faca empunhando-a, como se fosse uma arma. Eu não disse uma palavra sequer – não queria estragar o jantar dele com lições de etiqueta. Se ele me pedisse ajuda, claro que eu interviria, mas a princípio queria deixá-lo à vontade. Finalmente, cortou um pedaço do bife e comeu. Deve ter gostado muito, porque sorriu, e dessa vez seu sorriso foi enorme, de orelha a orelha.

Eu estava realmente gostando de ver aquele sorriso.

Depois do jantar, caminhamos de volta ao nosso ponto de encontro.

– Maurice, você gostaria de me encontrar de novo na próxima segunda-feira para jantarmos juntos? – eu o convidei.

– Sim – respondeu.

– Então, vamos nos encontrar aqui mesmo, às sete?

– Ok. Obrigado pelo meu bife.

– Por nada, Maurice. Tenha uma boa noite. E tome cuidado.

Ele saiu correndo, talvez de volta para casa ou para qualquer outro lugar.

Fui para meu apartamento e tentei não pensar sobre para onde ele poderia ter ido.

~

Na segunda-feira seguinte nós fomos ao Broadway Diner na 55th Street. Maurice passava por ali todos os dias, mas nunca havia entrado. Espiou pela janela uma ou duas vezes, da mesma forma que já havia feito com uma dúzia de lanchonetes, restaurantes e lojas de Manhattan. Era apenas mais um lugar que não era acessível para ele.

No restaurante, Maurice observou o cardápio e disse que pediria ovos.

– Ovos? – me surpreendi. – Para o jantar?

Maurice ficou confuso. Não sabia do que eu estava falando. Ele não compreendia a ideia de café da manhã, almoço e jantar; não sabia que diferentes tipos de comida eram servidos em momentos diferentes. Para ele, não existia essa ideia de refeições organizadas e estruturadas conforme a hora do dia.

Maurice comia o que tinha, sempre que podia ter algo para comer.

Pediu ovos e, quando o garçom perguntou se os queria mexidos ou fritos, Maurice pediu:

– Fritos com a gema mole.

Também pediu um suco de laranja, mas, quando o suco chegou, fez uma careta e não tocou no copo.

– Alguma coisa errada com o suco?

– Não está bom, dona Laura. Tem um monte de coisas boiando no copo.

Expliquei que aquilo era apenas a polpa da fruta e ele tomou um gole. Em seguida, tomou o suco inteiro em poucos goles e perguntou se poderia pedir outro.

Mais tarde, no nosso ponto de encontro, perguntei:

– Maurice, na próxima segunda, às sete?

– Sim, dona Laura. Estarei aqui. Obrigado pelo meu jantar.

Naquele dia, eu já estava preparando uma surpresa para ele, e contaria somente durante o nosso próximo encontro. Eu tinha perguntado a Maurice se ele gostava de esportes e ele disse que assistia aos Mets na tevê.

– Você já foi a um jogo de beisebol?

– Um jogo de verdade? Nunca.

Meu chefe no *USA Today* tinha ingressos para a temporada dos Mets. Como eu tinha dois irmãos mais velhos, sabia o quanto o beisebol era importante e emocionante para qualquer garoto.

Então, era esta a minha surpresa: eu levaria Maurice para assistir ao seu primeiro jogo de beisebol.

~

Para o meu irmão, Frank, não havia nada mais mágico no mundo, nada mais maravilhoso de se possuir e ter nas mãos do que sua velha e surrada luva de beisebol. A luva dele era da Rawlings ou Wilson, não me lembro exatamente. Também não posso fingir que entendo de beisebol e tudo que envolve esse esporte tão fascinante para os garotos. Mas o que eu sei é o que vi em meu irmão quando ele tinha seis anos: a emoção que o fazia amar seu bastão, seu boné e, acima de tudo, sua luva.

Percebi, muitos anos depois, que o beisebol era muito mais que o hobby favorito de Frank; era seu refúgio. Todos nós precisávamos de um refúgio – eu, minhas irmãs Annette e Nancy e meus irmãos Frank e Steve –, e cada um o encontrava de diferentes formas. Para Frank, era emocionante imaginar que ele estava jogando no time dos Yankees. A luva de beisebol era seu amuleto: algo em que ele podia segurar-se durante uma tempestade.

Minha família levava uma vida extremamente atípica em Huntington Station, uma cidade de classe média a uma hora ao leste de Manhattan. Meu pai, Nunziato, era pedreiro e barman, muito querido por seus amigos e vizinhos e pelas centenas de pessoas que recebiam dele uma bebida como cortesia. Todos o chamavam de Nunzie. Era baixo e robusto, com uma careca no topo da cabeça, um brilho nos olhos e um sorriso que faria qualquer estranho vê-lo como amigo. As mãos dele e os antebraços eram, para uma criança, tão fortes quanto os de um personagem de desenho. Ele se dizia construtor e construiu duas das casas onde moramos – simples e resistentes, que permanecem no mesmo lugar até hoje. Acima de tudo, meu pai era dinâmico, inquieto, incapaz de permanecer parado por muito tempo: ele nunca parava nem mesmo para tomar fôlego.

Minha mãe, Marie, era o oposto – uma alma doce e serena. Foi garçonete por certo tempo e trabalhou em um salão de festas chamado Huntington Town House. Trabalhava por várias horas, recebia muito pouco e entregava todo seu salário ao meu pai. Trabalhou em casamentos, Bar Mitzvahs,[6] aniversários. Às vezes, essas festas começavam às dez da manhã e ela não voltava para casa antes das duas da madrugada. Era tímida com quem não conhecia; acolhedora e amorosa com todos nós. Algo que me lembro muito bem é do quanto ela era bonita. Era uma pessoa doce, encantadora e inocente, um jeito de menina que fazia com que ela sempre encontrasse um motivo para ser feliz, até seus últimos anos de vida. Sei que todos os seus cinco filhos se sentiam extremamente amados; ela tinha um coração tão aberto a nós que nunca queríamos estar em outro lugar que não ali.

Como meu pai trabalhava como barman, ele saía para trabalhar entre seis e as seis e meia da tarde. Era exatamente o contrário do que faziam a maioria dos pais, que, nesse horário, estavam se preparando para o jantar. Por isso, jantávamos às cinco da tarde, e logo em seguida ele saía para o trabalho. Para ele, essa mudança de horário não deve ter sido tão incômoda; afinal, muitas pessoas trabalham durante a noite. Mas foram os períodos de ausência do meu pai que definiram a minha infância e que ainda definem muito da pessoa que me tornei.

Algo acontecia com meu pai enquanto ele estava fora. Quando chegava em casa, estava diferente. Podíamos ver isso no rosto dele, que mudava totalmente. Também era possível perceber pela maneira como ele estacionava o carro e pelo barulho que fazia ao bater a porta. Nem sempre acontecia, e a intensidade nem sempre era a mesma. Mas era nessa espera – no não saber, na incerteza – que o verdadeiro terror morava.

Certo domingo, meu pai passou a tarde inteira trabalhando no bar. Minha mãe estava trabalhando também, então estavam apenas

[6] Cerimônia que celebra a maturidade de um jovem judeu (doze anos para as mulheres e treze anos para os homens), momento em que a pessoa se torna responsável pelos seus atos, de acordo com a doutrina judaica. (N.T.)

as crianças em casa. Por volta das seis da manhã, meu pai voltou. Quando o ouvimos estacionar, nos assustamos e tentamos nos esconder. Ele foi até a cozinha e encontrou uma de suas fitas métricas sobre a mesa.

Ele a pegou e perguntou:

– O que é isso?

Havia algo errado com a fita métrica: estava presa. Eu sabia que Frank tinha brincado com ela. Meu pai tinha uma série de fitas métricas, e às vezes Frank pegava uma delas para brincar. Nessa época, Frank tinha cinco anos, era dois anos e meio mais novo que eu. Era um garoto doce e inocente, muito simples e gago de nascença, com uma ingenuidade que partia o coração.

– Frank! – meu pai gritou. – *Frank!*

Minha irmã Annette e eu entramos em ação. Corremos pela casa fechando todas as janelas para que os vizinhos não ouvissem o que estava por vir. Nunca ninguém nos pediu para fazer isso; nós o fazíamos por instinto. Meu pai foi até o corredor do quarto do meu irmão e encontrou Frank; arremessou a fita métrica no rosto do próprio filho.

– Por que você fez isso?

Meu pai nunca bateu em mim ou nas minhas irmãs. Deixava a sua fúria para a minha mãe e para o pobre Frank. Mas a violência nem sempre é só física. Naquele dia, Frank saiu correndo do quarto para escapar dos golpes. Meu pai olhou ao redor procurando por algo.

Avistou a luva de beisebol de Frank.

Meu pai a pegou e foi para o corredor, passou pela sala, pela porta da frente e entrou na garagem. Frank viu o que ele tinha nas mãos e implorou:

– Pai, não! Me desculpe! *Por favor, me desculpe!*

Minhas irmãs e eu o seguimos, também implorando que ele parasse.

Meu pai foi até a parede e pegou uma tesoura. Com a tesoura e a luva nas mãos, ele rasgou o couro e dividiu a luva em vários pedaços.

Frank não suportava ver aquela cena; correu para dentro de casa, gritando. Peguei o telefone e liguei para minha mãe no trabalho:

– Por favor, volta pra casa *agora*!

Annette correu e se escondeu no quarto com Nancy.

Quando minha mãe chegou em casa, encontrou Nunzie caído no sofá da sala. Em volta dele, pedaços da luva de beisebol. Frank estava acuado no canto do seu quarto, e minha mãe tentou confortá-lo enquanto ele chorava. Mas não havia nada que ela pudesse dizer ou fazer.

Na manhã seguinte, meu pai agiu como se nada tivesse acontecido. Nós também. Era assim que lidávamos com as coisas, a maneira como a nossa mãe sempre lidava. Eu ainda posso ouvi-la sussurrando para nós:

– Ajam normalmente.

Alguns dias depois, meu pai chegou em casa com uma nova luva de beisebol para Frank.

Não se deu conta de que jamais poderia substituir a que havia destruído.

capítulo 6

é só isso?

Quando nos encontramos na esquina na segunda-feira, naquela quarta semana em que nos víamos, eu disse a Maurice que, em vez de sairmos, eu faria o jantar em meu apartamento. Ele ficou claramente surpreso, mas disse:

– Ótimo.

Eu também me surpreendi com a minha ideia. Pensei em preparar uma refeição caseira, mas algumas perguntas me ocorreram: Será que eu deveria estar convidando esta criança para ir à minha casa? Será que isso poderia dar errado? O que as pessoas pensariam? Mas, quando encontrei Maurice na esquina aquela noite – e quando ele sorriu logo ao me ver –, tive a certeza de que estava tudo bem.

Fomos até meu apartamento, no Symphony. Steve, o porteiro, acenou para mim.

– Boa noite, sra. Schroff.

Então, olhou para Maurice, que vestia aquele moletom sujo. Por um momento, eles apenas se olharam. Era o trabalho de Steve conhecer todos os que entravam e saíam do prédio, mas ele não estava entendendo muito bem por que eu estava acompanhada por uma criança.

– Este é meu amigo, Maurice – eu o apresentei.

Para Steve, isso não esclarecia nada.

Caminhamos pelo saguão até os elevadores. O Symphony era um prédio novo e tinha um hall de entrada deslumbrante – chão de granito nas cores preto e ferrugem, teto alto, luminárias art déco, um grande balcão de atendimento. Tudo era polido e brilhante. O elevador era claro e espaçoso e, no andar do meu apartamento, o corredor era coberto por um carpete exuberante. Maurice entrou, em silêncio.

Meu apartamento era pequeno, mas eu o considerava um santuário luxuoso: janelas grandes que iam até o teto, dois armários duplos, uma cozinha nova e um balcão. Eu tinha um baú de mogno, uma encantadora mesa de jantar oval e uma cômoda antiga e elegante. A combinação de cores era convidativa: azul e malva. Tudo estava exatamente como eu queria.

Convidei Maurice para sentar no sofá. Ele sentou no braço do lado direito, na ponta da almofada. Seus olhos logo se voltaram para o chão, onde havia um jarro enorme de moedas. Era um jarro transparente, com quase um metro de altura e estava coberto até a metade com moedas de 5, 10 e 25 centavos. Eu tive a ideia desse pote por causa do meu pai; ele costumava colocar todas as gorjetas em um balde que mantinha no seu quarto. Ele nunca tirava o dinheiro de lá, apenas acrescentava. Nós, as crianças, ficávamos fascinadas em ver aquela montanha de dinheiro crescer cada vez mais. Todo mês de março ele nos fazia recolher as moedas para juntá-las aos milhares de dólares que ele usava para pagar seus impostos. Anos depois, quando comecei a trabalhar, consegui ter o meu próprio pote. Imagino que deveria haver pelo menos mil dólares em moedas no meu pote. Para uma criança como Maurice, que sobrevivia de esmolas, o pote parecia uma espécie de tesouro.

– Você quer uma Coca light? – ofereci.

– Sim, por favor – ele respondeu.

Trouxe a bebida e sentei no sofá.

– Maurice, eu quero conversar sobre algo muito sério com você e eu vou falar apenas uma vez, então quero que escute com atenção.

Maurice se retraiu.

– O motivo pelo qual eu o convidei para vir ao meu apartamento é porque eu o considero um amigo. A amizade é construída com base na confiança e quero que você saiba que eu nunca vou trair essa confiança. Quero que saiba também que você poderá confiar sempre em mim. Mas, se você trair a minha confiança, não poderemos mais ser amigos. Você entendeu?

Maurice olhou para mim com seus olhos grandes e redondos e não disse uma palavra sequer. Parecia confuso, até mesmo assustado.

– Está claro? – perguntei novamente – Isso faz sentido para você?

Então Maurice perguntou:

– É isso? Você só quer que eu seja seu amigo?

– Sim, é isso.

Agora, ele estava visivelmente relaxado; levantou-se e estendeu a mão para mim. Eu o cumprimentei e fizemos o pacto.

– Trato é trato – ele concluiu.

Algum tempo depois, Maurice me contou que tinha se apavorado quando eu pedi a ele que se sentasse para conversarmos. De acordo com a experiência de vida dele, os adultos normalmente faziam isso porque queriam algo dele. Sua mãe, seus tios, Snake (o cafetão). Havia sempre uma tarefa, sempre um objetivo para as conversas entre eles. "E agora, esta senhora branca quer algo também. Agora, vou finalmente descobrir por que ela tem sido tão boa comigo", ele imaginou.

Para ele, era difícil entender que tudo o que eu queria era ser sua amiga.

Mas agora nós tínhamos um pacto. Um pacto de amizade. Somente após alguns anos eu entenderia o verdadeiro significado daquele aperto de mãos.

~

Pedi a Maurice que, enquanto eu preparasse o jantar, ele arrumasse a mesa. Entreguei a ele pratos, garfos e facas. Coloquei três peitos de frango na grelha, cozinhei massa e legumes, e pude ouvir Maurice se atrapalhando com os talheres naquela mesa pequena da minha sala de jantar. Após alguns minutos, ele veio até a cozinha.

– Dona Laura, será que a senhora pode me ensinar a pôr a mesa?

Era a primeira vez que ele me pedia para ensinar-lhe algo.

Fui até a sala de jantar e arrumei a mesa enquanto ele observava. Garfo do lado esquerdo, faca do lado direito, prato, guardanapo e copo. Quando nos sentamos para comer, notei que Maurice estava observando as minhas mãos.

– Algum problema, Maurice?

– Estou tentando descobrir como usar o garfo e a faca juntos.

Diminuí o ritmo dos meus movimentos para que ele pudesse observar. Mais uma vez, eu não disse uma palavra. Não estava lhe dando uma aula. Apenas permiti que ele aprendesse pela observação. Maurice era como uma esponja, absorvia tudo rapidamente, era muito curioso e inteligente. Ele tinha aprendido todas as artimanhas do mundo das drogas observando a mãe e os tios; e também tinha se tornado um especialista em sobreviver nas ruas. Mas ele nunca havia visto alguém preparando a mesa para uma refeição ou usando garfo e faca de maneira adequada.

Maurice nunca fizera uma refeição em uma mesa de jantar. Agora, ele me observava com o garfo e a faca e aprendeu rapidamente. Etiqueta à mesa não é algo essencial, porém é conveniente. E posso dizer que Maurice estava muito ansioso por aprender.

Percebi que ele comeu apenas metade da sua refeição.

– O frango está bom? – perguntei.

– Está ótimo! – ele respondeu.

– E por que você não comeu tudo? Não está com fome?

Maurice olhou acanhado.

– É que eu quero levar um pouco para a minha mãe – ele justificou. – Tudo bem se eu fizer isso?

– Maurice, tem mais lá na cozinha. Quando você terminar, eu preparo um prato para você levar para casa.

Maurice devorou o restante da refeição.

Limpamos a mesa e, na cozinha, entreguei a ele uma massa para fazer biscoito.

– Vamos fazer uns biscoitos? Você corta a massa e eu ponho para assar.

Entreguei a ele uma faca; ele não sabia muito bem o que fazer. Mostrei-lhe como abrir a massa e pedi que cortasse cada pedaço com aproximadamente 2,5 centímetros de espessura e que depois o dividisse em mais quatro pedaços. Maurice ouviu com atenção e pôs a mão na massa, literalmente. Colocamos os pedaços na assadeira, levamos ao forno e, quinze minutos depois, comemos biscoitos quentinhos com gotas de chocolate e bebemos leite.

Maurice *adorava* a ideia de sobremesa – era mais uma coisa à qual ele não estava acostumado. Era um presente, e ele não tinha recebido muitos presentes em sua vida. Tornou-se a sua parte favorita das nossas refeições juntos. Fez questão de levar quatro biscoitos para casa.

Era quase nove da noite e eu quis levar Maurice para casa. Ainda não conseguia acreditar que ninguém se interessava em saber onde ele estava. Preparei um prato de comida para ele e nos sentamos um pouco para conversar antes que ele saísse.

– Maurice, quero perguntar uma coisa. Você tem uma escova de dentes em casa?

– Não.

– Você tem uma toalha de banho ou de rosto?

– Não.

– Você tem sabonete?

– Não, dona Laura.

Fui até meu closet e peguei uma toalha de banho e uma de rosto. Também peguei uma escova de dentes, um creme dental e um sabonete. Coloquei-os em uma sacola de plástico, como fiz com o prato e biscoitos. Logo eu descobriria que tudo que Maurice levava para casa desaparecia rapidamente. Suas irmãs, seus tios... ele não sabia exatamente quem pegava suas coisas – elas simplesmente desapareciam. Até que eu comprei para Maurice um baú grande com cadeado e ele passou a guardar seus pertences lá.

– Mais uma coisa – eu disse a ele. – Tenho uma surpresa para você.

Ele se animou.

– Você gostaria de assistir a um jogo dos Mets no sábado?

Maurice se entusiasmou. Mesmo após todos esses anos, ainda posso lembrar do rosto dele naquele momento, repleto de felicidade.

– Mas escuta, Maurice. Eu preciso que a sua mãe assine uma autorização permitindo que eu leve você em meu carro para o jogo, ok? Você pode entregar a ela e pedir que assine?

Digitei a autorização no computador, imprimi e entreguei a ele.

– Eu não posso levá-lo ao jogo sem isso – disse. – Você precisa pedir que ela assine e me trazer de volta, ok?

Pedi que me encontrasse na quarta-feira, no mesmo horário e lugar, com a autorização assinada. Ele prometeu que o faria.

– Muito obrigado pelo jantar e por todo o resto – agradeceu.

Eu o levei até o saguão e passamos por Steve novamente.

– Boa noite, Maurice – Steve o cumprimentou.

Maurice se assustou. O porteiro sabia o nome dele.

~

Na quarta-feira à noite eu esperei por Maurice na 56th Street para me entregar a autorização. Esperei por dez minutos, quinze, vinte. Esperei até as 19h45.

Maurice não apareceu.

capítulo 7

a canção de uma mãe

Durante um dos meus jantares com Maurice – não me lembro exatamente qual – eu pedi a ele que me contasse mais a respeito de sua mãe. Ele hesitava em falar qualquer coisa sobre ela, mas insisti um pouco. Senti que precisava saber o máximo a respeito dela, afinal eu estava passando um bom tempo com o seu filho, invadindo o território dela. Seria possível que a mãe dele realmente não se preocupasse com o que ele fazia ou com quem ele estava?

– Maurice, a sua mãe trabalha? – perguntei.

– Não.

– Então o que ela faz durante o dia?

– Ela fica em casa e arruma tudo. Ela varre e tira o pó dos móveis.

Aquilo fez sentido para mim; boa parte das mães são donas de casa. Formei uma imagem da mãe de Maurice em minha mente: irritada, exausta, muitos filhos e nenhum homem para ajudar. Ainda tentava compreender como uma criança daquela idade poderia ficar nas ruas à noite sozinha. Que mãe permitiria aquilo? E, se ela permitia, porque Maurice não apareceu naquela quarta-feira? Será que ela não autorizou que ele fosse ao jogo comigo? Será que ainda estava presente na vida dele?

Depois que Maurice não apareceu com a autorização, decidi que teria de descobrir tudo por conta própria. Decidi ir até o Bryant para encontrar a mãe de Maurice.

~

Tudo o que eu sabia era o que Maurice havia me contado: que ele morava com a mãe, a avó e suas irmãs em um quarto no Bryant. Eu sabia que era um albergue. Já tinha ouvido no noticiário sobre os vários albergues da cidade de Nova York, mas nunca havia entrado em um, nem mesmo passado por perto. Cheguei à conclusão de que era melhor não ir sozinha, então pedi a minha amiga Lisa, que morava no mesmo andar que eu, que me acompanhasse. Após o trabalho na quinta-feira fomos ao Bryant, na esquina da 54th Street com a Broadway.

O Bryant estava em um trecho agitado, porém decadente de Manhattan, a apenas algumas quadras da Times Square. Era um prédio de doze andares, com uma fachada de pedra calcária e o lado externo todo corroído. No andar de baixo, havia o Ed Sullivan Theater, que hoje exibe o show de David Letterman, mas que naqueles dias era o local das gravações do seriado de comédia *Kate & Allie*, da CBS. Certo tempo depois, Maurice me contaria que tal seriado o ajudara a sobreviver: ele ia ao teatro durante as gravações e ficava sentado na plateia, depois seguia até o camarim e pegava a comida que ficava nas mesas da equipe de filmagem. Após algum tempo, as pessoas passaram a acreditar que o *boom man*[7] – um homem alto e negro – era seu pai. A equipe de filmagem fez amizade com Maurice e permitiu que ele ficasse por perto, mas depois o seriado saiu do ar. Foi uma bela aventura enquanto durou.

Lisa e eu caminhamos até a entrada do Bryant. Na calçada do albergue, homens e mulheres espalhados conversavam, gritavam e riam, e muitas crianças brincavam de esconde-esconde entre os carros estacionados. Elas tinham aproximadamente a mesma idade de Maurice e eu o procurei entre elas, mas não o encontrei. Subimos três lances de escada a caminho do saguão de entrada, e lá

[7] Em um set de filmagens, o *boom man* é a pessoa que carrega e movimenta o microfone durante as gravações. (N.T.)

também havia vida transbordando: senhoras, crianças e homens barulhentos – uma cena turbulenta e ruidosa. O saguão exalava um mau cheiro. As paredes eram beges, pintadas com tinta vernizada, e qualquer mobília que tivesse passado por ali já se fora há muito tempo. O chão era sujo e repleto de jornais e xícaras de café. Havia duas lâmpadas fluorescentes no saguão que emitiam uma luz sombria, que não parava de piscar.

De um lado, um guarda uniformizado estava sentado em uma pequena cabina. Ele nos olhou enquanto entrávamos e abriu uma partição para que pudesse nos ouvir.

– Nós somos amigas de Maurice Mazyck – eu disse. – Gostaríamos de subir para vê-lo.

– Maurice, o menino? – ele disse. – Você conhece ele?

– Sim, nós somos amigas dele.

O guarda ficou desconfiado, mas saiu da cabina e nos levou até os elevadores. O elevador principal, que tinha a porta pintada de preto e coberta por um desenho de grafite, estava quebrado, então fomos até o elevador de carga. Ele tocou uma campainha e outro guarda uniformizado chegou para nos acompanhar. O elevador de carga subiu até o quinto andar, chacoalhando. O corredor era escuro e triste: não havia carpete, as paredes de gesso estavam corroídas, havia lixo espalhado e um forte odor de fritura. Os rodapés estavam pretos, cobertos por fuligem. Tudo estava estranhamente calmo, comparado ao saguão; com exceção de uma voz que soou distante, tudo parecia abandonado. Fomos até o apartamento 502, marcado apenas por duas etiquetas numeradas – faltava o número 5 – e o guarda permaneceu atrás de nós, observando. Olhei para Lisa e a feição dela me dizia que estávamos pensando o mesmo – tínhamos atravessado a fronteira de um mundo que nenhuma de nós sabia que existia. Respirei fundo e bati na porta do 502.

Por um longo tempo, nada aconteceu. Ninguém apareceu. Bati na porta novamente – nenhum sinal.

– Vá em frente. Bata de novo – o guarda me disse.

Finalmente, ouvi um som de dentro do apartamento: passos arrastados vinham em direção à porta. A fechadura girou devagar. A porta se abriu.

Uma mulher apareceu e encostou-se no batente. Vestia calças de moletom sem cordão, as calças estavam caindo e deixavam a calcinha à mostra; usava uma camiseta branca com algumas manchas e tinha os pés descalços. Os cabelos eram pretos, rebeldes e emaranhados. Alguns fios cobriam parte do seu rosto; outros estavam esticados para cima. Eu não tinha a menor ideia de qual era sua idade – poderia ter dezoito ou quarenta anos. Era magra, tinha os movimentos lentos. Os joelhos eram ligeiramente tortos. Olhou em nossa direção, mas era como se não notasse a nossa presença. Estava em algum tipo de transe; acordada, porém não totalmente consciente. Abriu a boca para dizer algo, mas emitiu apenas um som arrastado, um murmúrio. Apoiou a cabeça na porta, seus olhos estavam completamente revirados, como se quisessem enxergar o topo da cabeça.

Essa era a mãe de Maurice, Darcella.

~

Houve muitas e muitas noites no Brooklyn em que Darcella não soube onde ela e os filhos dormiriam. As garotas, Celeste e LaToya, não tinham nem dez anos e Maurice era muito pequeno, não tinha seis anos completos. Morris, o pai deles, havia desaparecido, então eles estavam por conta própria. Passavam algumas noites em abrigos, outras na casa de um primo. Algumas noites, Darcella levava os filhos para a casa de um amigo com quem ela se drogava, e todos ficavam por lá. Maurice e as irmãs amontoavam-se em um canto e dormiam até o amanhecer.

Algumas noites, a família era despejada de onde quer que estivessem. Algumas vezes isso acontecia porque estavam há muito tempo no apartamento do primo, outras porque acontecia alguma discussão no abrigo. Darcella ia para as ruas com os filhos, sem saber exatamente para onde ir, e cantava para eles para que não se sentissem tão assustados. Tinha uma voz muito bonita; quando jovem, cantava no coral da igreja. Maurice adorava ouvi-la cantar. Ele gostava quando ela cantava os hinos da igreja, mas o que mais apreciava era quando a mãe compunha músicas de improviso. Ela apontava para algo na rua e começava a elaborar uma letra: um carro abandonado, um gato de rua, um viciado em alguma esquina. E o refrão, doce e alegre, era sempre o mesmo:

Como pode
Uma mãe e os seus filhotes
Viverem assim, à espera da sorte.

Quando a sorte chegava, encontravam um abrigo para passarem a noite.

Darcella – que era excepcionalmente bonita, com covinhas nas bochechas quando sorria – começou a usar drogas depois que Maurice nasceu. Naquela época, todos à sua volta já eram viciados: o marido, os irmãos e até mesmo sua mãe. Os lugares onde viveu eram refúgios para traficantes e amigos viciados. Era como se uma maré devastadora tivesse atingido sua vida. Quando Maurice era um bebê, ela tornou-se viciada em heroína.

O vício a consumiu por inteiro. Injetava heroína na veia diante dos filhos. Maurice observava aquele ritual sem entender o que significava. Tudo o que ele sabia era que quando o ritual terminava, sua mãe ficava feliz e por isso não lhe parecia algo ruim. Assistia Darcella preparando tudo: uma tampa de metal de um frasco de ketchup, uma seringa, uma tira elástica grossa, uma tira de papel alumínio, um pedaço de algodão, um isqueiro e um papelote de heroína. Ele a observava enquanto ela enchia a tampa de água e segurava-a com um alicate. Então ela punha a heroína na tampa e depois o algodão, que absorvia toda a droga. Em seguida, usava o isqueiro para aquecer a tampa. Darcella enrolava o pedaço de algodão, colocava a seringa sobre ele e puxava o líquido com a agulha; amarrava a tira elástica em volta do braço, apertava-a até que a veia aparecesse, pressionava a agulha na veia e injetava o líquido.

Durante a aplicação com a seringa, quando não conseguia encontrar a veia do braço depois de muitas tentativas, ela tentava encontrar a artéria ulnar da mão, entre os dedos indicador e médio.

– Oh, isso é bom... – dizia ela, inclinando a cabeça para trás, conforme injetava a droga. Ela começava a cantarolar, balançava a mão no ar e delirava até que não houvesse mais dor.

Para Maurice, esses eram os melhores momentos – quando sua mãe encontrava a paz. Antes desse ritual, quando Darcella ficava agitada, nervosa, inquieta, Maurice ficava chateado e queria ajudar a mãe de alguma forma. Certa vez aconteceu no metrô: ela ficou agitava e inquieta e preparou toda a droga ali mesmo, na frente de todos.

– Levantem e fiquem em volta de mim, ela pedia às crianças – Maurice e suas irmãs formavam uma "parede" à sua volta e assim ninguém poderia vê-la aplicando a droga. Um minuto depois, a aplicação já havia terminado e as crianças sentavam. Darcella "viajava" e as pessoas a olhavam, mas Maurice não se preocupava com isso, pois sua mãe estava feliz e aquilo era tudo que importava para ele.

~

Maurice não tinha consciência do que a mãe estava causando a si mesma, tampouco compreendia o que ela fazia para sustentar o seu vício. Tudo que ele sabia era que homens iam até o apartamento deles – homens estranhos – e saíam pouco tempo depois. Porém, às vezes os homens nem atravessavam a porta e caíam direto em uma armadilha.

Quando viviam no perigoso Marcy Projects em Bed-Stuy, Darcella frequentemente atraía os homens até seu apartamento e oferecia-lhes sexo em troca de dinheiro ou de drogas. Mas a promessa de sexo era apenas uma isca. Normalmente isso acontecia a altas horas da noite, enquanto Maurice e suas irmãs dormiam na sala, em um sofá com listras de tigre. Mas às vezes Maurice estava acordado e assistia a tudo. Seu tio, Juice, que na época tinha dezesseis anos, ficava atrás da porta segurando um haltere de aproximadamente 4,5 quilos. Ele esperava até que Darcella levasse o homem para dentro do quarto e atingia-o com o peso na cabeça. Eles vasculhavam os bolsos do homem e pegavam tudo que encontravam. Então, tio Juice o arrastava até o saguão e o deixava lá. Certa vez, Juice nem se preocupou em ir até o saguão; golpeou a vítima e arrastou-a até o corredor.

Pouco tempo depois, os policiais batiam na porta e perguntavam a Darcella se ela conhecia o homem que estava no chão do corredor próximo ao seu apartamento. Ela balançava os ombros e respondia que não, em seguida fechava a porta, entrava e injetava a heroína que tinha acabado de roubar.

Certa noite, Maurice acordou ouvindo gritos. Tio Juice havia golpeado alguém, mas ele não atingiu a vítima muito bem e o homem ainda estava consciente - confuso e sangrando, mas ainda consciente. O homem correu pelo apartamento, passou por Maurice, gritando por socorro, com Juice atrás dele. O homem tentou se refugiar no banheiro e Juice o seguiu. Houve ruídos estranhos e gritos, e Maurice, assustado, porém curioso, foi até o banheiro e viu o homem imprensado entre a banheira e o vaso sanitário, tentando se proteger dos golpes de Juice. O homem pedia, implorava, e Darcella ordenava:

– Passa o dinheiro.

Quando, finalmente, o homem lhe entregou algumas notas amassadas, Darcella pegou o dinheiro, olhou e disse:

– Como você achou que conseguiria algo de mim com isso?

Tio Juice tentou encontrar um ângulo para bater a cabeça do homem no vaso sanitário, mas ele suplicou novamente por sua vida. Maurice viu então, pela primeira vez, o rosto duro e pálido de medo em um homem adulto, e isso o fez sentir um frio na espinha. Quando a avó Rose finalmente entrou no banheiro, ele se sentiu aliviado porque sabia que ela ordenaria que parassem com aquilo e ela deixaria o homem ir embora. O homem parecia sentir o mesmo, e por isso pediu a ela:

– Por favor, por favor, me ajude.

Rose ordenou a Juice:

– Bata nele e leve ele daqui. Nós estamos tentando dormir.

Juice bateu no homem novamente, e ele finalmente caiu. Arrastaram-no para fora e fecharam a porta.

Outras vezes, não eram homens estranhos que vinham até o apartamento; eram policiais. Batiam forte na porta e três ou quatro deles, uniformizados, entravam, agarravam Darcella pelo braço e algemavam-na enquanto Maurice e suas irmãs gritavam pedindo que eles a deixassem. Darcella voltava no mesmo dia, e mergulhava em sua heroína recém-adquirida. Muitos anos depois, Maurice descobriu que sua mãe era uma informante parcial do NYPD – o departamento de polícia de Nova York. Ela denunciava os traficantes do Marcy Projects e, em troca, os policiais lhe entregavam parte da heroína apreendida. Quando precisavam falar com ela, eles entravam e prendiam-na, para não levantar suspeitas.

Mas, uma vez, Darcella desapareceu por uma semana. Quando ela finalmente retornou, estava em uma cadeira de rodas, com as duas pernas totalmente enfaixadas. Contou a Maurice que havia sofrido um acidente de carro e ele acreditou. Até que ele começou a ouvir rumores nas ruas. Ficou sabendo que um traficante havia descoberto que sua mãe era a informante e, por isso, quebrara as duas pernas de Darcella. Maurice questionou os tios; mas eles o mandaram calar a boca.

~

As drogas faziam parte da vida de Maurice desde quando ele se lembrava – desde antes até. Por causa das drogas, ele quase morreu quando tinha apenas um ano de idade. Depois do seu nascimento no Kings County Hospital na Clarkson Avenue, no Brooklyn, Maurice e sua família mudaram para uma casa de dois andares, em ruínas. O pequeno Maurice gostava de dormir na cama de sua tia, no quarto do segundo andar. Na maior parte das vezes, ela não se importava, mas algumas noites tia Belinda, sob o efeito da cocaína, mandava Maurice dormir com a mãe no primeiro andar.

Certa noite, pouco tempo depois de expulsar Maurice de seu quarto, Belinda colocou fogo acidentalmente em sua própria cama. O namorado dela tentou conter o fogo, mas usou álcool em vez de água, o que piorou a situação. Os bombeiros chegaram e conseguiram controlar o incêndio, mas tia Belinda já havia morrido carbonizada. A cama onde Maurice costumava dormir fora reduzida a uma pilha de cinzas.

Entre o incêndio e o período em que o conheci, Maurice morou em pelo menos vinte lugares diferentes: apartamentos, abrigos ou albergues. Mudava de casa com muito mais frequência que a maioria das pessoas faz durante a vida; muitas vezes passava apenas um ou dois dias em determinado lugar. Por certo tempo sua família morou no Van Dyke Houses, um conjunto habitacional público em Brownsville, até hoje muito conhecido pela criminalidade extrema e pelas drogas. De lá, eles mudaram-se para o difamado Marcy Projects, um complexo de edifícios abandonados e pátios de concreto semelhantes ao lugar em que viviam antes.

A próxima parada foi uma EAU – Emergency Assistance Unit –, um abrigo temporário para famílias à espera de uma residência permanente. Após um curto período, foram para o abrigo Roberto Clemente, no Bronx, que tinha seiscentas camas no meio de um armazém e dois banheiros. Maurice tinha sua própria cama, mas não por muito tempo: algumas de suas roupas foram roubadas, Darcella discutiu com algumas pessoas e uma briga começou. Depois de três dias, eles estavam de volta à EAU.

De lá, foram para um abrigo na Forbell Street, na fronteira entre o Queens e o Brooklyn. Esse lugar era melhor – oito ou nove quartos com vinte camas em cada um. Havia uma cafeteria simples e até uma sala de recreação para as crianças. Mas o Fordell não era uma residência permanente, e após cinco meses já era tempo de mudar-se novamente. Uma série de albergues perigosos e em péssimas condições veio a seguir: o Bullshippers Lodge no Brooklyn, um motel próximo ao aeroporto no Queens, um lugar sem nome definido na avenida Washington – tinha quartos imundos e sombrios com espelhos pendurados no teto e ratos subindo pelas paredes. Além das famílias, alguns dos quartos eram usados por prostitutas; com frequência Maurice encontrava vestígios de sêmen ou preservativos nos lençóis. Depois de alguns dias, eles estavam de volta ao Fordell, de onde foram despejados novamente.

Por fim, a família estava de volta à EAU. Porém, como já estavam no sistema há muito tempo, eles receberam uma oferta do tipo pegar ou largar. Ou ficavam no Brooklyn Arms ou iriam para as ruas. De acordo com o que Maurice ouvira as pessoas dizerem, o Brooklyn Arms era um dos seis piores albergues da cidade de Nova York. Ali, corria-se o risco de ser assaltado ou morto. Pessoas carentes frequentemente preferiam morar nas ruas, pois se sentiam mais seguras ali do que se vivessem no Brooklyn Arms. E agora Maurice iria para lá – era definitivamente o pior lugar que ele poderia imaginar.

Maurice tinha dez anos quando se mudou para o apartamento 305 do Brooklyn Arms. O enorme e gótico prédio de dezesseis andares na Ashland Avenue, mais conhecido como Granada, era um antigo hotel de luxo onde famílias ricas realizavam casamentos no espaço Forsythia e onde senhoras de luvas brancas tomavam *highballs*[8] durante a tarde. Contudo, em meados dos anos 1970, os moradores ilustres se foram e o Granada tornou-se o Brooklyn Arms.

Os corredores foram cobertos com tinta marrom oleosa; água e eletricidade oscilavam e os ratos se tornaram tão grandes quanto gatos. Nos quartos não havia cozinha, mas muitos moradores improvisavam uma área para cozinhar – frigideiras, chapa quente, cafeteiras – que representavam um grande risco à segurança. Qualquer ação negligente – fiação precária, escadas em más condições, tráfico de drogas – poderia ser mortal a qualquer momento.

---

[8] Bebida à base de uísque e soda. (N.T.)

– A menos que Deus os proteja – declarou o senador de Nova York, Patrick Moynihan, ao denunciar os problemas do albergue –, as crianças morrerão ali.

O senador estava certo: em meados dos anos 1980, duas crianças – amigas de Maurice – despencaram e morreram ao caírem no fosso de um elevador perto do qual brincavam, cuja porta estava quebrada.

Maurice mudou-se para o 305 com a mãe, a avó, as duas irmãs e, em períodos diferentes, com os seus tios. Outro homem, o tio Cheese – o namorado de sua tia – morava lá também. Por vezes, até dez pessoas ficavam amontoadas no mesmo quarto. A época em que Maurice esteve ali coincidiu com o advento do crack na cidade de Nova York. Entre 1984 e 1990, o uso de crack nos Estados Unidos tornou-se uma epidemia de grandes proporções. Uma forma de cocaína que poderia ser fumada, era altamente viciante, o que significava uma procura maior, que por sua vez trazia mais criminalidade e violência. Durante a epidemia do crack nos Estados Unidos, o índice de homicídios entre os homens jovens e negros mais que dobrou. Inúmeras vidas foram perdidas, diversas crianças tiveram a infância destruída e foram enviadas para orfanatos. De certa forma, albergues como o Brooklyn Arms foram o marco inicial da epidemia. Era lá que o crack era comprado e vendido, preparado e consumido, destruindo famílias inteiras.

De maneira irônica, o crack chegou ao Brooklyn Arms no momento em que a mãe de Maurice tentava desesperadamente se livrar das drogas. Pouco tempo depois de mudar-se para lá, ela internou-se em um centro de reabilitação no Kings County Hospital. Permaneceu internada por três meses, limpando o corpo de toda a droga. Maurice chorava todas as noites durante o período em que ela esteve ausente. Até que o tio Dark não aguentou mais o choro e resolveu levar Maurice e suas irmãs ao hospital para ver a mãe. Quando chegaram ao hospital, o horário de visitas havia terminado e o guarda não permitiu que entrassem.

Tio Dark disse:

– Eu não vim aqui por nada.

Ele caminhou pelo perímetro do hospital, gritando por Darcella.

– Dee Dee! – gritava. – Dee Dee, onde você está?

Logo Maurice começou a gritar também:

– Mãe, mãe! Sou eu!

Caminharam e gritaram até que finalmente ouviram uma voz fraca:

– Estou aqui – Maurice viu a mãe na janela do segundo andar. Ela chorava e dizia: – Meus bebês! Meus bebês! – Darcella estendeu os braços como se pudesse puxar os filhos até o andar de cima e Maurice estendeu os braços como se ela pudesse pegá-lo. Por fim, ela disse: – É melhor vocês saírem daqui antes que arrumem confusão.

Mas Maurice recusou-se a sair; chorava e rolava no chão, dizendo que não ia embora. Tio Dark colocou-o sobre os ombros e o carregou. O choro do menino ecoava na noite e chamou a atenção dos pacientes, que foram até a janela, enquanto Darcella já não estava mais lá.

Ela voltou para casa algumas semanas depois, limpa, pela primeira vez em anos. Maurice não entendia o que significava a reabilitação, mas ele pôde ver que a mãe estava diferente, melhor, mais feliz. Ela passava mais tempo com Maurice e as irmãs, ignorava os tios quando eles chegavam com drogas. Pela primeira vez na vida, Maurice tinha uma mãe que não estava aborrecida o tempo todo. Pela primeira vez, ele experimentou algo próximo à normalidade. O Brooklyn Arms havia mudado para ele. Não era um lugar tão ruim assim, afinal.

Até o dia em que o tio Dark chegou em casa e disse:

– Ei, Dee Dee, vem aqui. Quero que você experimente uma coisa. É diferente.

– Não, cara, eu parei – ela respondeu.

– Ei, Dee, isso não é como as outras coisas. É *freebase*[9].

– Não quero saber, não quero saber... Eu parei.

[9] O crack é um tipo de cocaína *freebase* (base livre da droga que pode ser fumada). (N.T.)

Tio Dark colocou a pedra de craque em cima da mesa.

– Dee, você tem que tentar isso, não sabe o que está perdendo. E Dee, *você não vai ficar viciada.*

Darcella olhou para a pedra por um longo período. Por fim, ela a pegou e levou para o banheiro. Saiu um minuto depois com os olhos cheios de água. Eles estavam tão abertos quanto duas moedas de 50 centavos. Maurice era muito novo para perceber o que estava acontecendo exatamente, mas ele tinha idade o suficiente para pensar: "Isto não é bom".

E foi assim que Darcella ultrapassou a linha tênue que separava um mundo do outro e caiu definitivamente para o lado negro.

~

O quarto 305 tornou-se a sede do crack do Brooklyn Arms. Uma vez que Darcella tomou gosto pela droga, transformou-se na maior traficante do hotel – maior até que qualquer um dos tios de Maurice. Foi a primeira a aprender como preparar a cocaína e transformá-la em crack; ensinou também os seus irmãos. Os tios compravam a coca dos dominicanos na parte alta da Broadway e traziam-na para que fosse preparada por Darcella. Às vezes ela mesma saía para comprar a droga. O dinheiro brotava como nunca: eram pilhas e pilhas de notas.

Alguns anos depois, Maurice descobriria que, em menos de um ano, pelo menos 1 milhão de dólares em dinheiro passou pelo apartamento deles no Brooklyn Arms como resultado dos negócios de sua mãe e seus tios.

E todo esse dinheiro trouxe uma ideia de estabilidade: pela primeira vez, Darcella tinha dinheiro suficiente para comprar sapatos, casacos e roupas íntimas para seus filhos. As pessoas tratavam a mãe e os tios de Maurice com respeito, e isso se estendia até o garoto, que se sentia importante também. Para ele, a vida sempre seguira certo ritmo – o de uma confusão sempre previsível. Mas agora Maurice acreditava que finalmente tinha um lugar que poderia chamar de lar.

Foi então que o Brooklyn Arms foi tomado por chamas.

Em 1986, duas crianças começaram um fogo em um quarto. A mãe delas não estava em casa; saíra à procura de drogas. As crianças, assustadas demais para correr e muito novas para entender a situação, se esconderam no armário. Havia fumaça por todo lugar. As pessoas corriam e gritavam. Maurice estava na calçada e viu as crianças – que ele conhecia – cambaleando, com o corpo em chamas, chorando. Ao todo, quatro crianças morreram no incêndio.

Depois desse acontecimento, o prefeito Ed Koch denunciou as condições do albergue e prometeu realizar uma limpeza. Pouco tempo depois, a polícia invadiu o Brooklyn Arms. Batiam nas portas e prendiam os moradores. A mãe de Maurice estava andando pelas escadas no momento em que a polícia fazia a inspeção. Ela conseguiu convencer os policiais de que era apenas uma usuária de drogas e que estava ali apenas para comprar, e não para vender. A polícia a liberou, mas dois dos tios de Maurice foram presos durante a operação. Uma vez mais, Maurice permaneceu na calçada, observando a polícia e as diversas câmeras invadirem o lugar que ele chamava de lar. Viu quando as equipes de reportagem deixaram o local naquela noite e os traficantes voltaram logo em seguida.

Apenas alguns dias após a operação, seu tio Limp embriagou-se e arremessou um tijolo pela janela da lavanderia. Maurice e sua família foram expulsos do Brooklyn Arms.

~

No Bryant, observei o quarto onde Maurice morava enquanto Darcella apoiava-se no batente da porta. O lugar tinha aproximadamente doze metros quadrados, duas janelas e teto alto. Havia duas camas de solteiro sem lençóis e sem travesseiros, uma poltrona *La-Z-Boy* bege e uma geladeira média sobre a qual estava apoiada uma tevê. Maurice me contou depois que a geladeira nunca – nem uma única vez – teve comida. Tudo o que ele encontrava lá era uma jarra de plástico com água e uma caixa de bicarbonato de sódio, que era utilizado para preparar drogas.

Era isso; não havia mais nada no quarto. Estava escuro e vazio: nenhum quadro na parede, iluminação fraca, nenhuma cortina, nem cozinha. Vi uma mulher mais velha sentada em uma cadeira – era Rose. Não vi mais ninguém, mas logo soube que, além de Maurice, aproximadamente doze pessoas moravam naquele quarto: sua mãe e avó, irmãs, uma tia com seus dois filhos, um tio que ficava o tempo todo com eles e outros dois ou três que chegavam e saíam. As cinco crianças dormiam nas camas de solteiro durante a noite, enquanto os adultos ficavam acordados se drogando. Quando amanhecia, as crianças levantavam e os adultos dormiam o dia inteiro. Às vezes, os tios dormiam no chão; outras, no armário.

Às vezes Maurice pegava o armário para ele, na tentativa de ter um pouco de privacidade.

– Olá, eu sou Laura – apresentei-me finalmente. – Sou amiga de Maurice. Você é a mãe dele?

A mulher nos olhava fixamente, sem entender muito bem.

– Maurice falou sobre o jogo de beisebol? Eu quero levá-lo ao jogo dos Mets e preciso da sua permissão, se você concordar, é claro.

A mulher deslizou o corpo ainda mais no batente da porta. Virou os olhos até as pupilas quase saltarem para cima. Eu já havia visto pessoas extremamente embriagadas, que não conseguiam se manter em pé ou que não conseguiam falar, mas eu nunca na vida tinha visto alguém tão fora de si quanto ela estava.

Finalmente, firmou-se no chão, virou-se e voltou para dentro do quarto, bem lentamente. O segurança que nos acompanhava caminhou em direção ao elevador.

Então a avó de Maurice, Rose, veio até a porta. Ela estava muito mais consciente. Olhou-nos, franziu as sobrancelhas e perguntou:

– O que querem?

– Olá, meu nome é Laura e esta é minha amiga Lisa. Sou amiga de Maurice. Não sei se ele falou algo sobre mim...

– Sim, ele falou – ela respondeu.

– Oh, ok. Isso é bom. Bem, eu quero levar Maurice ao jogo dos Mets neste fim de semana e preciso da autorização da mãe dele.

Entreguei a Rose o papel e a caneta. Ela assinou, disse que tudo bem e entregou-me de volta.

– Muito obrigada – eu disse. – E, a senhora pode, por favor, pedir a Maurice que passe na minha casa quando puder?

– Sim – Rose respondeu, e fechou a porta.

~

No dia seguinte, meu interfone tocou, e Steve, o porteiro, me avisou que Maurice estava lá embaixo.

– Peça para ele subir, por favor – pedi.

Maurice chegou com o rosto muito sério:

– Dona Laura, a senhora tem que me prometer que nunca mais vai voltar naquele lugar – ele disse.

Eu disse a ele que fui até lá porque precisava da autorização da mãe dele.

– Você tem que me prometer que nunca mais vai voltar lá.

– Está tudo bem, Maurice.

– Não, não está tudo bem. Senhoras boas e brancas nunca devem entrar em um lugar como aquele. Você não pode voltar lá. Prometa que nunca mais vai voltar lá.

Prometi a ele que nunca mais voltaria e, de fato, não voltei.

Naquele momento, achei que Maurice estava apenas envergonhado pelas condições de vida que ele tinha, mas, depois que soube mais a respeito de sua família, me dei conta de que ele estava me protegendo. Ele sabia do que seus tios eram capazes; sabia que qualquer um poderia, muito rapidamente, se tornar uma vítima.

Maurice nunca contou a nenhum membro de sua família onde eu morava ou qualquer detalhe sobre minha vida.

Ele não queria que eu sequer entrasse em contato com seu mundo.

Naquele sábado, Maurice me encontrou no saguão do Symphony e nós fomos até a garagem para pegar o meu carro. Levaríamos vinte minutos do Grand Central Parkway ao Shea Stadium. Maurice estava muito animado; pulava no banco da frente. Pedi os ingressos à minha chefe, Valerie, e ela gentilmente me cedeu. Eram assentos ótimos – algumas fileiras atrás da primeira base. Caminhamos pelo corredor e passamos por um túnel. Ao final do túnel, quando era possível enxergar a grama do campo, olhei para Maurice e vi que ele estava de boca aberta. Uma coisa é assistir a um jogo por uma tevê preto e branco. Outra é ver os jogadores bem de perto, com os seus uniformes brancos, batendo na bola com a ponta do bastão. Como já mencionei, o beisebol não tinha grande significado para mim, mas certamente para qualquer garoto esse esporte tem grande importância. E para Maurice era como um pedaço do céu, a maior emoção que ele poderia sentir. Não me lembro de vê-lo piscar uma vez sequer durante as três horas seguintes. Assistiu ao jogo, comeu cachorro-quente, bebeu refrigerante, aplaudiu os jogadores e, como qualquer outro garoto em um campo, ficou deslumbrado diante de um simples jogo de beisebol.

Não sei dizer se esse foi um dos momentos mais felizes da vida do jovem Maurice, mas posso afirmar que foi um dos momentos mais felizes da minha.

capítulo 8

o legado de um pai

O que leva a sociedade a considerar uma mulher incapaz de ser mãe? Existem aspectos a serem levados em conta antes de tal julgamento ser feito? E se uma mãe está fazendo o melhor que pode diante de uma grande adversidade, mas mesmo assim ainda não está à altura dos padrões da sociedade?

Por que uma mãe perde o direito de ser mãe?

Há uma história de uma jovem mãe chamada Maria Giuseppe Benedetto, abandonada com seus seis filhos quando seu marido, Pasquale, foi convocado pelo exército italiano em 1914. Maria e Pasquale moravam no sul de uma cidade italiana chamada Gioia del Colle, umas das regiões mais pobres do país. A maioria dos homens ali era de agricultores, assim como Pasquale, e lutava contra o solo árido e os períodos de seca constantes. Ainda assim, sustentavam suas famílias da maneira que era possível, cultivando a mesma terra em que seus ancestrais haviam trabalhado.

Contudo, quando Pasquale foi convocado para o serviço militar, no início da Segunda Guerra Mundial, sua família enfrentou uma catástrofe. Maria e seus filhos – o mais velho tinha treze anos – foram deixados sem alimento e sem qualquer fonte de renda para cuidar das terras áridas. Escavavam os campos à procura de algo comestível, colhiam ervas ou algo do gênero para que pudessem preparar uma refeição. Pasquale era autorizado a voltar para casa em alguns finais de semana e ajudava o filho mais velho, Pietro, trabalhando nos campos. Porém, os meses de inverno eram longos e Maria passava noites acordada, preocupada que seus filhos morressem de fome.

Então, durante uma das visitas de Pasquale, Maria engravidou da sétima criança. Agora, ela precisaria do marido mais que nunca. Quando estava no oitavo mês de gestação, no início de 1917, ela pegou um cavalo e uma carroça, deixou Pietro cuidando das outras crianças e seguiu viagem em direção à sede militar na cidade de Bari. Lá, procurou pelo comandante oficial, invadiu seu escritório e exigiu que seu marido fosse dispensado do serviço militar.

– Ele tem seis crianças famintas em casa – disse ela. – Ele pertence a esta família.

O oficial ficou comovido, mas não podia fazer nada para ajudar. O máximo que ele pôde fazer foi prometer que Pasquale ficaria longe das linhas de frente, pois assim estaria seguro até que a guerra acabasse.

Maria, desesperada e exausta, conduziu o cavalo de volta a Gioia del Colle por estradas de terra esburacadas. Durante o trajeto, sentiu uma dor muito forte no estômago; conseguiu chegar em casa a tempo de dar à luz sua sétima filha, Annunziata. Agora as coisas estavam mais difíceis que nunca – mas ficariam ainda piores. Em Bari, o comandante quebrou a promessa e enviou Pasquale para a frente italiana em Gorizia, onde o exército tentou confiscar terras austríacas ao longo do rio Isonzo. Em nove tentativas anteriores, o exército tentara proteger esse território, e falhara nas nove vezes. Na décima tentativa, não atingiram resultado diferente.

Dois meses depois de dar à luz, Maria soube que Pasquale fora baleado e morto.

Agora que ela era uma viúva com sete crianças, as autoridades locais finalmente tomaram conhecimento e interviram. A decisão tomada por eles foi declarar Maria inapta para cuidar de todas as crianças e tomar dois de seus filhos.

O menino Luca foi enviado para uma escola pública para garotos, e Giustina foi enviada ao Istituto Femminile di Maria Cristina di Savoia, um internato de freiras. Foram mantidos nessas escolas por muitos anos, longe da família. Maria tinha permissão para visitá-los uma vez por mês.

No verão de 1917, a mãe de Maria adoeceu. Maria deixou Pietro cuidando das irmãs, Rosa e Ana, e do irmão Donato, e seguiu com um bebê no colo em direção à casa da mãe, que ficava nos arredores da sua casa. Durante sua ausência, as crianças estavam brincando no campo após o término de suas tarefas, pulando e correndo, quando a jovem Ana – que tinha cinco anos – caiu em um poço. Era um buraco no solo rodeado por pedras brancas; uma rocha branca maior era usada para cobrir e abrir o poço. Maria, em meio à pressa, havia retirado a pedra grande e esquecido de colocá-la de volta. E então, a menina Ana brincava ao redor do poço, equilibrando-se na ponta dos pés.

Ela escorregou e caiu no buraco.

A outra filha, Rosa, correu quase 2 quilômetros para chegar até a casa da avó e pedir ajuda, mas era tarde demais. Ana já estava afogada no fundo do poço.

Autoridades locais investigaram o incidente e consideraram Maria incapaz de cuidar de sua família. A menina Rosa, que não tinha oito anos completos, foi também mandada para o instituto Maria Cristina di Savoia.

A sociedade encontrou uma solução para os problemas de Maria: levar todos os seus filhos para longe dela.

Não havia nada que Maria pudesse fazer, e ela teve que encontrar consolo ao saber que suas filhas estavam gostando da escola. Ainda assim, não conseguiu livrar-se da dor da perda de sua família. Prometeu a si mesma que um dia reuniria todos os filhos novamente e escreveu para seu irmão, Pietro, que, com a ajuda do cunhado dela, havia emigrado para os Estados Unidos. Pediu a eles que ajudassem a levar sua família para lá também. Eles enviaram a ela dinheiro suficiente para viajar para a América; Maria retirou os filhos da escola e, em janeiro de 1921, eles embarcaram no Duca D'Aosta, um barco que estava ancorado no porto de Nápoles. O barco enfrentou tempestades fortíssimas no Atlântico, e um marinheiro teve de salvar a vida de Rosa, impedindo-a de cair em alto-mar.

Em 19 de fevereiro de 1921, o Duca D'Aosta aportou na ilha Ellis, à sombra da estátua da liberdade, e Maria e sua família puseram os pés em solo americano. Foram postos em quarentena na ilha por várias semanas, porque Annunziata contraíra sarampo, mas logo ficaram livres para seguir viagem. Fizeram uma viagem turbulenta de metrô em direção à área residencial da cidade e encontraram um apartamento estreito – com pouco espaço para acomodar todos – na East 112th Street. Havia uma pia, um fogão, uma geladeira e encanamento interno – coisas que eles nunca haviam possuído antes. Passaram a viver nos Estados Unidos com todas as suas glórias e adversidades. Os netos de Maria tiveram boas condições de vida, bem como os bisnetos e as outras gerações.

Eu bem sei que tudo isso é a mais pura verdade, porque Maria Giuseppe Benedetto era minha bisavó.

A pequena Rosa, uma das filhas de Maria que foram levadas – e que depois ela conseguiria trazer de volta – era minha avó. Já ouvi histórias de como Rosa era divertida e inteligente. Quando era jovem, tinha a responsabilidade de lavar a louça do jantar. Ela viu o cachorro da família lamber o prato certa vez e teve uma ideia. Rosa passou a dar os pratos para o cachorro, um a um, para que ele lambesse até que tudo ficasse limpo. Sua mãe ficou impressionada com a rapidez com que ela realizava a tarefa – e ela continuaria fazendo isso se sua irmã Annunziata não tivesse contado a verdade para a mãe.

Durante o Ensino Fundamental, Rosa descobriu que tinha uma linda voz para cantar. Cantava no coral da igreja e sua família poupou dinheiro suficiente para comprar um piano usado, para que ela pudesse praticar. Mas a alegria de cantar durou pouco. Durante a adolescência, Rosa conheceu um homem de nome Sebastiano Vito Procino – negro, bonito, e dez anos mais velho que ela. A vida de Sebastiano sempre foi muito difícil desde a mais tenra idade. Quando tinha oito anos e morava em uma fazenda em Gioia del Colle – a mesma cidade onde Rosa cresceu –, teve de abandonar a escola para ser pastor de um grande rebanho de ovelhas. Isso significava acordar antes de amanhecer, preparar alguma comida para levar e cuidar das ovelhas na encosta da colina por doze horas. Passava o dia inteiro sozinho, contando apenas com a companhia do rebanho.

Essa experiência formou a personalidade de Sebastiano. Depois de servir na unidade militar de elite Bersaglieri do exército italiano por cinco anos e voltar para os Estados Unidos em 1923, trabalhou para a ferroviária Erie Lackawanna: foi operário, supervisor de construção e rebocador – funções árduas e exaustivas. Seu principal objetivo era sustentar a família que formou com Rosa – eram sete crianças ao todo – e mostrar a eles o verdadeiro valor do trabalho e do sacrifício. Para Sebastiano, ser homem significava permanecer sempre vigilante, jamais titubear e nunca tolerar coisas fúteis.

Algo que Sebastiano não tolerava era ouvir alguém cantarolando.

Foi por isso que proibiu sua mulher de cantar em um coral ou em qualquer outro lugar. Acreditava que a voz bonita de sua esposa a tornaria mais atraente para os outros homens e, como ela era uma esposa obediente, nunca mais cantou em público. Eu gostaria de acreditar que, em seus momentos sozinha, minha avó cantava com o coração, longe dos ouvidos de seu marido, mas não posso afirmar que ela tenha feito isso.

Outra coisa fútil para Sebastiano era o carinho.

Ele não era um pai tirânico; algumas manhãs de domingo levava as crianças até a padaria para comprar pão e rosca de nozes e, no verão, ele os levava até a Carvel para tomar sorvete. Porém, era considerado um pai distante, pois não demonstrava nenhum tipo de afeto, e acreditava que nenhum pai jamais deveria demonstrar seus sentimentos aos filhos. Qualquer demonstração de carinho seria um sinal de fraqueza – e Sebastiano era tudo, menos fraco. Acreditava que as crianças deveriam ser educadas não com amor, mas com disciplina e, sempre que necessário, castigo físico.

Durante o jantar, ele mantinha um cinto em seu colo para que os filhos o vissem. Eles sabiam que não deveriam jamais falar durante as refeições: do contrário, levariam uma cintada nas mãos.

Meu avô Sebastiano presenciou poucos momentos de amor e carinho entre os pais, então ele evitava demonstrar esses sentimentos em relação à esposa e aos filhos. Ninguém nunca o ensinou como demonstrar e partilhar seu amor. Também nunca lhe falaram que tal demonstração era permitida, por isso chegou a acreditar que não era. "Il solo tempo lei dovrebbe baciare i suoi bambini in quando dormono", ele dizia. Isso significava que "o único momento em que você pode beijar os seus filhos é quando eles estão dormindo".

Todas as crianças tinham uma relação complicada com o pai e uma delas – Maria, minha mãe – percebeu ainda muito jovem que precisaria fugir daquele controle brutal. Assim, quando tinha apenas dezenove anos, se apaixonou e casou com um homem que ela acreditava que poderia distanciá-la de sua família e proporcionar-lhe uma vida nova e feliz.

Porém, às vezes não somos atraídos por aquilo que é diferente dos nossos medos: somos atraídos exatamente por aquilo que tememos.

~

Meu pai, Nunziato Carino, tinha dezenove anos quando perdeu o pai, Francesco, vítima de um tumor no cérebro. Francesco era da Calábria, região sul localizada bem na ponta da bota da Itália e, assim como muitos imigrantes, trabalhava arduamente. Fazia parte da equipe de resgate na neve em Long Island, onde sua família morava. Certo dia, quando estava nevando, caiu do caminhão e fraturou o crânio. Sete anos depois, passou a sentir dores de cabeça e os médicos descobriram um tumor irreversível. Sei muito pouco a respeito do meu avô Francesco, porque meu pai quase nunca falava sobre ele.

O que sei muito bem é que Francesco ensinou a seu filho mais velho, Nunziato, o valor do trabalho árduo. Meu pai teve seu primeiro trabalho quando tinha doze anos: engraxava sapatos. Nunca parou de trabalhar desde então. Depois que seu pai morreu, ele serviu o exército e se tornou artilheiro aéreo, realizando 55 missões. Todos os meses, sem exceção, enviava 50 dólares para sua mãe. Tinha 27 anos quando conheceu minha mãe em uma festa; ela era tímida, discreta, extremamente meiga e ele disse tudo isso a ela. Ela hesitou no primeiro momento, mas ele insistiu e a conquistou. Minha avó Rosa, que agora chamamos de Rose, usou as técnicas de costura que havia aprendido no Maria Cristina di Savoia e fez um vestido de noiva para Marie: cetim brocado com mangas longas, cauda de 4,5 metros, decote mandarim e botões minúsculos na frente. Marie e Nunziato casaram-se na St. Hugh, uma igreja católica romana em Huntington Station, Long Island; tiveram o que na Itália chamamos de *football wedding*: um casamento no qual os noivos, durante a recepção, servem aos convidados sanduíches enormes embrulhados em papel celofane. Eram um casal jovem, bonito, criados com a experiência de imigrantes e prontos para começar uma nova aventura americana.

A primeira filha do casal, Annette, era inteligente, astuta e bastante madura para sua idade. Era muito centrada, reservada, uma aluna nota 10. A segunda filha era diferente: rebelde, brincalhona, desprendida, questionadora e tão teimosa e argumentativa que seus pais costumavam chamá-la de "tagarela". Ela tinha sempre de ter a última palavra, e falava tanto que sua mãe e irmãs frequentemente imploravam: "Por favor, pare de falar!". Exigia respostas e nunca se contentava com evasivas.

Essa filha era eu.

A nossa infância em Huntington Station não teve privação material. Tínhamos muita comida, camas confortáveis, roupas limpas e brinquedos que amávamos. A nossa primeira casa, feita de tijolos em uma fazenda, foi construída pelo meu pai. Annette e eu dividíamos uma parte do quarto e dormíamos em uma cama de casal; nas paredes havia papel decorado com botões de rosa, edredons de crochê e cortinas floridas. No final do mesmo corredor, Frank tinha seu próprio quarto, enquanto Nancy, que ainda era um bebê, dormia em um berço no quarto dos meus pais.

Estudamos em boas escolas, tivemos bons amigos e desfrutamos de uma boa dose de estabilidade.

E, como a maioria das famílias, tínhamos animais de estimação, embora a nossa história com eles tenha sido bastante turbulenta. Meu pai amava animais pequenos, a começar por um *chihuahua* que trouxera da guerra e que o acompanhava em todos os lugares. Mas os nossos animais de estimação chegavam e partiam com grande rapidez. Um dos nossos primeiros gatos, Casey, teve leucemia e morreu muito novo. Um *yorkshire-terrier* que chamávamos de Michael fugiu e foi atropelado. Tivemos um gato preto persa caolho; ele parecia bastante feliz em estar conosco, mas quando compramos móveis novos, os pelos dele se tornaram um problema e tivemos de doá-lo. Também tivemos um *spitz* alemão que desapareceu durante uma tempestade de neve; alguns dias depois, quando a tempestade finalmente terminou, encontramos o pobre cachorro morto e congelado na porta dos fundos da casa.

Nunca esperei que os nossos animais de estimação permanecessem conosco por muito tempo. Era só mais uma coisa que eu não poderia controlar. Ao olhar para trás, não é de se surpreender que os animais nunca estivessem seguros em nossa casa. A verdade é que nenhum de nós estava de fato.

~

Meu pai gostava de beber, e a bebida mudava sua personalidade. Não sei exatamente o que acontecia quando o álcool passava por seu estômago, pela corrente sanguínea e quando finalmente atingia seu cérebro. O que sei é que o álcool alterava seus sentidos e seu raciocínio. Sei também que ele afetava a atenção e a coordenação. Em algumas pessoas, o álcool causa irritabilidade e agitação. Mas o que acontecia com meu pai era algo diferente. O álcool o transformava completamente.

Quando meu pai estava sóbrio, era a pessoa mais amável que alguém poderia conhecer. Engraçado, generoso, afável com os entes e muito acolhedor com os estranhos. Até hoje as pessoas vêm me dizer como ele era maravilhoso. As pessoas com quem eu cresci dizem:

– Gostaria que o meu pai tivesse sido como o seu.

No entanto, todos os dias após seu turno como barman no Picture Lounge, ele voltava diferente. Era como se ele trocasse de roupa com outro homem e este viesse para casa em seu lugar. Meu pai gostava de uísque escocês – *Dewar's on the rocks*. Ele bebia durante o trabalho e ficava algum tempo bebendo após o expediente. Quando entrava no carro para voltar para casa, era como se uma nuvem negra pairasse sobre ele. Ficava estrábico, seu rosto se comprimia e seu sorriso habitual e natural desaparecia, dando lugar a uma feição sombria. Os demônios dentro dele começavam a aflorar e se manifestavam externamente, esperando o menor gatilho para explodir. O gatilho poderia ser qualquer coisa, até mesmo coisa nenhuma. Nunca sabíamos o que despertava sua raiva durante aquele trajeto de volta para casa ou o que o faria perder o controle quando chegasse em casa. A única coisa que sabíamos era que, uma vez que a fúria tivesse sido despertada, nada poderia detê-la.

Na maioria das noites, quando ele chegava – à meia-noite ou certo tempo depois –, já estávamos na cama. Escutávamos os sons que eram indícios de que ele ainda não havia parado de beber – a maneira como ele batia a porta da frente ou o tilintar do gelo em um copo na cozinha. Às vezes, não havia nenhum barulho.

Às vezes, tudo aquilo era apenas o começo.

Meu irmão Frank já estaria dormindo e meu pai apareceria na porta do quarto dele como uma assombração. Gritaria e praguejaria contra o garoto, como se Frank tivesse cometido alguma falha irreparável contra ele.

– Frank, seu miserável. Filho maldito!

Frank, que não tinha seis anos completos, acordaria assustado, continuaria deitado e esconderia-se debaixo das cobertas. Cinco minutos de gritaria. Dez minutos. Parecia que aquilo não teria mais fim. No outro quarto, Annette e eu ouviríamos tudo e nos abraçaríamos para nos proteger; no corredor ouviríamos Nancy, que era um bebê ainda, chorando no berço. Minha mãe nem sempre tentaria impedi-lo; ela sabia que suas tentativas de defender Frank muito provavelmente tornariam a situação ainda pior para ela e para o próprio filho. Mas algumas noites os ataques de fúria eram tão assustadores que era impossível para ela não tentar defender o menino. Normalmente, meu pai não pararia até se sentir exausto, e então ele bateria a porta e beberia mais, até que, finalmente, a altas horas da noite, cairia no sono.

Nunca houve um motivo concreto para que ele tivesse tanta raiva do meu irmão. Às vezes, tudo o que ele precisava era ver alguma coisa que o fizesse se lembrar do pequeno Frank.

Todos nós éramos vítimas desses ataques, mas na maioria das vezes os alvos eram minha mãe e Frank. Certa noite, durante o jantar, Frank simplesmente perguntou se meu pai poderia passar a tigela de espaguete. Meu pai, embriagado, pegou a tigela e jogou-a em cima dele. Meu irmão apenas continuou sentado, coberto de molho de tomate. Outra noite, quando voltou para casa, meu pai trouxe um pacote com dez sanduíches de sorvete *Flying Saucer*[10], da Carvel. Ele o colocou em cima da mesa e eu estava tão animada que, por um momento, me esqueci da nossa regra mais importante: não diga nada que possa provocar o pai.

– Estou tão feliz que poderia comer tudo sozinha – anunciei.

Eu tinha sete anos e disse algo que qualquer criança nessa idade diria.

Meu pai respondeu:

– Bem, agora você terá que comer todos.

Meus irmãos fugiram com o primeiro sinal de problemas, e meu pai sentou-se à mesa e me pediu para começar a comer. Minha mãe estava trabalhando e não poderia me defender. Comi uma bolacha, duas, três. Na metade da quarta bolacha, comecei a soluçar, em prantos. Enquanto comia a sexta ou a sétima bolacha,

---

[10] Sobremesa gelada composta por uma porção de sorvete de baunilha entre duas bolachas. (N.T.)

vomitei. Satisfeito, meu pai se levantou e saiu. As outras bolachas derreteram na pia: ninguém ousou comê-las depois que meu castigo terminou.

Vivíamos em um terror constante, com medo de "acionar" o gatilho a qualquer momento. Quando meu pai estava no trabalho, limpávamos a casa com muito cuidado para não deixar nada fora do lugar. Inevitavelmente, nos esquecíamos de alguma coisa e era justamente isso que ele via. Quando ele estava em casa, nunca falávamos alto – isso quando falávamos alguma coisa. No nosso quarto, quando Annette e eu brigávamos por algum motivo, discutíamos em sussurros. Quando eu ficava muito nervosa, levantava minha voz e Annette implorava para que eu me calasse. Eu falava ainda mais alto, até que, de tanto medo, ela se escondia debaixo das cobertas. Dessa maneira, eu vencia a briga.

Ver meu pai procurando por uma vítima sempre foi pior do que quando eu era o alvo. Certo Natal, minha mãe deu a ele de presente um lindo casaco de camurça bege. Meu pai, que estava sóbrio, adorou e o vestiu no mesmo momento, para a alegria da minha mãe. Mas, no dia seguinte, embriagado, ele jogou o casaco no rosto dela.

– O que eu sou, um cafetão?

Então pegou a tesoura e cortou o casaco em pedaços.

O pior de tudo era quando ele batia na minha mãe. Eu não suportava vê-lo fazendo isso; eu me sentia muito mal, totalmente impotente, e entrava em pânico. Tinha horror em imaginar que um dia ele poderia ir longe demais.

Há um acontecimento impregnado na minha memória, que deixou uma marca inapagável.

Annette e eu estávamos quase dormindo, deitadas na cama, quando ouvimos os gritos começarem. Não sei exatamente do que se tratava – eu raramente entendia –, mas durou um longo tempo; ele se acalmava, depois voltava a gritar. Eu não ouvia a voz da minha mãe, apenas a do meu pai. Não era uma discussão. Era um ataque.

Então, ouvi um barulho terrível – o som de um vidro se quebrando. Tive certeza de que meu pai tinha jogado minha mãe pela janela. Annette implorou para que eu fosse até lá acabar com a briga. Eu estava tão assustada quanto ela, mas daquela vez eu estava tão preocupada com o que poderia acontecer com a minha mãe que corri até a sala gritando:

– Mãe! Mãe!

Quando cheguei lá, a janela estava intacta; meu pai havia jogado um suporte de lâmpada feito de bronze com um vidro enorme do outro lado da parede, quebrando-o. Ele também havia arremessado um vidro de tomate contra a parede e o sofá verde de veludo estava todo vermelho. As cadeiras estavam derrubadas e minha mãe estava no chão, machucada e sangrando. Corri até ela e até hoje lembro-me do olhar de pavor em seu rosto – ela não estava apavorada por ter sido machucada, mas sim pelo fato de eu vê-la naquele estado.

Mais tarde, naquela noite, depois que meu pai caiu no sono, Annette e eu a confortamos; o pobre Frank estava assustado demais para sair do seu quarto. Na manhã seguinte, minha mãe nos pediu o de sempre:

– Ajam normalmente, como se nada tivesse acontecido.

Fomos para a escola, minha mãe arrumou toda a bagunça e o incidente nunca mais foi mencionado, como se tivesse sido apenas um pesadelo.

capítulo 9

o saco de papel marrom

Por volta da quinta semana consecutiva com Maurice, eu contei a Valerie, minha chefe, que eu o tinha levado ao meu apartamento para jantar. Ela demonstrou surpresa e, logo em seguida, preocupação.

– Laura, eu não entendo por que você está fazendo isso – disse. – Você não conhece essa criança, nem sua família, e não sabe se eles podem ficar aborrecidos com você.

Havia contado a ela sobre o meu encontro com a mãe de Maurice e sobre como ninguém em sua família se importava com o que ele fazia ou com quem estava. Mas ela não se convenceu.

– Laura, você não pode levar esse garoto até o seu apartamento – ela me advertiu. – Isso é *loucura.*

Agora, Valerie levantava o tom de voz, tentando me alertar.

– Alguém do serviço de assistência social pode bater à sua porta e questionar o que está acontecendo. Você precisa tomar cuidado com isso. Quero dizer, você é branca, ele é negro. Você é uma adulta, ele é apenas uma criança. Algo pode dar errado. As coisas podem ficar feias.

Sabia que Valerie estava falando com o coração. Era uma amiga muito querida e se preocupava comigo. E eu sabia, de alguma forma, que o que ela estava dizendo era verdade. Estava com *muita* dificuldade para lidar com aquela situação. Para mim, não havia nenhum problema em convidar aquela criança para ir ao meu apartamento. Mas o que eu estava fazendo poderia, muito facilmente, ser mal interpretado. Embora Valerie não tenha dito claramente, sabia que ela também estava preocupada com a minha segurança. Aquelas palavras duras eram exatamente o que eu esperaria de uma amiga verdadeira. Muitos amigos próximos e até mesmo minhas irmãs me deram os mesmos conselhos. Mas, no final, eu tive de confiar na minha intuição. Sabia que, no fundo – tão fundo que não há uma explicação racional –, aquilo que eu estava fazendo era a melhor coisa a se fazer.

– Olha, Valerie. Maurice é um bom garoto – eu disse. – Ele é uma criança muito boa com uma história de vida terrível. Precisa apenas de alguém que possa ajudá-lo.

Valerie não se convenceu, pelo menos não naquele dia, mas com o passar do tempo, como eu a mantinha informada sobre os meus passeios com Maurice, ela ficou menos receosa. Contou-me, certo tempo depois, que percebeu que Maurice e eu tínhamos uma relação de amizade verdadeira e que o apoio que eu dava a ele teria um grande impacto para o resto de sua vida.

– E quem pode argumentar contra isso? – ela disse.

Será que não valia a pena correr alguns riscos?

Os outros amigos e colegas do *USA Today* – Lou, Paul e outras pessoas gentis, de bom coração – aos poucos também foram se aproximando. Também ficaram preocupados comigo, mas quanto mais ouviam sobre meus encontros com Maurice, menos preocupados ficavam – e se sentiam cada vez mais curiosos a respeito da vida dele. Gostavam de ouvir sobre as nossas viagens e passeios, e passaram a me perguntar sobre ele o tempo todo. Lou, uma pessoa muito adorável, ouvia todas as minhas histórias sobre Maurice e me disse várias vezes que me admirava pelo que eu estava fazendo. Ele tinha dois filhos pequenos na época e me disse que não poderia imaginar o que Maurice estava passando.

Certo dia, Lou chegou ao escritório com uma sacola enorme. A sacola estava cheia de roupas.

– Você me contou que Maurice não tem muitas roupas – disse Lou. – Acho que talvez ele possa usar algumas dessas.

Olhei para a sacola. Havia pilhas de camisetas, calças, blusas e bermudas – tudo muito bem dobrado, praticamente novo. Algumas coisas ainda tinham a etiqueta da loja. Ele me disse que foi até seu armário e juntou algumas peças que não usava mais. Lou sabia que provavelmente as roupas ficariam um pouco grandes em Maurice, mas pelo menos estavam em boas condições.

Meus olhos se encheram de lágrimas. Abracei Lou muito forte e o agradeci. Fechei a porta da minha sala e chorei.

~

Maurice e eu estabelecemos uma rotina agradável. Nós não precisávamos mais confirmar o encontro de segunda-feira; tornou-se algo automático. Ele aparecia no saguão, o porteiro tocava o interfone e eu o deixava subir.

Logo no início, Maurice me contou que às vezes o porteiro o fazia esperar antes de pedir que ele subisse, seja para atender os outros moradores, para fazer uma ligação ou algo do gênero. Ele pedia que Maurice esperasse do outro lado e apenas o chamava quando o saguão estava vazio. Maurice me contou que ele o tratava diferente quando eu estava com ele e quando estava sozinho. Ele estava acostumado com isso; a maioria dos adultos agia como se ele fosse invisível. Certa vez, quando estava atrasado para o nosso encontro, perguntou as horas para uma pessoa que estava passando na rua. A pessoa não respondeu e continuou andando, sem nem olhar para Maurice. Então, ele perguntou a outra pessoa; aconteceu o mesmo. Elas não apenas deixavam de prestar atenção em Maurice – simplesmente fingiam que ele não estava lá.

Entendi por que o porteiro o afastava. O Symphony era um prédio de luxo e lá estava aquela criança de rua com roupas sujas, sob o olhar dos moradores de alto padrão. Eu compreendia que eles não estavam em posição de serem amigáveis com Maurice.

Ainda assim, eu não gostava que ele esperasse ou que fosse tratado de maneira diferente quando eu não estava por perto. Uma noite, eu saí com Maurice e parei na recepção do prédio. Pedi que ele esperasse lá fora enquanto eu falava com o porteiro.

– Eu só gostaria de lembrar que Maurice é meu amigo e quero que vocês o tratem como se ele fosse qualquer um dos meus amigos – eu pedi. – Esta é a minha casa e ele deve sempre se sentir bem-vindo aqui, ok?

O porteiro pareceu um pouco ofendido, mas entendeu o recado.

– Claro, dona Schroff.

Em pouco tempo, Maurice se tornou amigo de quase todos os porteiros da equipe.

~

Por mais que tentasse, Maurice não conseguia manter uma aparência limpa. Suas roupas estavam sempre sujas e ele geralmente cheirava muito mal, então a lavanderia se tornou parte do nosso trato semanal. Certa segunda-feira, ele apareceu com uma sacola cheia de roupas.

– Dona Laura, a senhora se importaria de lavar esta roupa para a minha família quando for lavar a minha?

Creio que aquelas roupas pertenciam às suas irmãs e talvez à sua mãe e seus primos. Eu as lavei e sequei. Quando as entreguei de volta, ele ficou surpreso ao ver como estavam limpas e frescas. Maurice, eu logo percebi, era o homem da casa. Ele assumia responsabilidades e preocupava-se para que sua família sempre tivesse roupas limpas.

Depois de um certo tempo, em vez de perguntar o que Maurice gostaria que eu preparasse para comer, eu o convidava para ir às compras comigo. Então, íamos ao supermercado e comprávamos as coisas que ele gostava: bife, hambúrguer, frango e, claro, massa de biscoito com gotas de chocolate. No meu apartamento,

Maurice preparava a mesa enquanto eu cozinhava. Depois da primeira vez, ele fazia isso sem que eu pedisse; parece que ele gostava de preparar a mesa.

Depois do jantar, ele me ajudava a limpar a mesa e a tirar os pratos. Eu os limpava e entregava a Maurice, que os colocava na máquina de lavar. Certa vez, quando eu estava recolhendo o lixo para levar à lixeira do corredor, Maurice me olhou e disse:

– Dona Laura, deixa que eu levo para a senhora. Uma senhora tão bonita não deveria ter de tirar o lixo.

Nós estabelecíamos certos rituais agora – preparar a mesa, lavar a louça, recolher o lixo –, e normalmente executávamos essas tarefas até mesmo sem falar. Ele adorava ter de realizá-las e era muito disciplinado.

Percebi que os rituais eram tão importantes para Maurice quanto as refeições.

Os rituais são o que nos mantêm em terra firme, o que nos dá a sensação de segurança e continuidade. Na minha própria família, por mais maluca que fosse, ainda tínhamos rotinas estabelecidas: jantar em determinada hora, horário certo para dormir e ir à igreja aos domingos. Da mesma forma, para Maurice, algo simples como recolher o lixo e levá-lo para fora era confortante em diversos níveis. Para ele, era quase sagrado.

Claro que havia um ritual que ele mais gostava: preparar e comer biscoitos. Eu já sabia que ele sempre queria levar alguns para suas irmãs, então eu sempre assava alguns a mais. Um dia, percebi que ele não tinha bebido todo o seu leite.

– Será que eu posso levar esse leite para casa? – ele me perguntou.

Ele queria que suas irmãs tivessem a experiência completa – não apenas os biscoitos quentinhos, mas os biscoitos e o *leite*. A partir de então, sempre comprávamos três ou quatro litros de leite, e não apenas um, pois assim ele poderia levar para casa.

Maurice e eu passamos a nos sentir confortáveis na companhia um do outro, ao ponto de às vezes eu esquecer quem ele era e tratá-lo simplesmente como alguém com quem eu convivia. Às vezes, brincávamos de jogos de tabuleiro, como Banco Imobiliário, e nos divertíamos um com o outro. Outras vezes, eu reclamava sobre algo do meu trabalho, como faria com qualquer amigo. Mas, de vez em quando, algo me fazia lembrar das origens de Maurice. Certa segunda-feira, ele veio ao meu apartamento com um resfriado muito forte. Estava com coriza, dificuldade para respirar e não tinha como limpar o nariz.

Eu disse a ele:

– Maurice, você já foi ao banheiro para assoar o nariz?

Ele me olhou e disse:

– Hein?

– Assoar o nariz. Vá ao banheiro e assoe o nariz – eu repeti.

Ele ficou me olhando como se eu estivesse falando outra língua. Até que percebi: ele não sabia como assoar o nariz. Ninguém nunca o havia ensinado a fazer isso. Ninguém jamais havia lhe oferecido um lenço e dito para assoar o nariz. Ele nunca sequer tinha ouvido essa expressão. Peguei alguns lenços de papel e mostrei a ele como fazer, e então pela primeira vez em sua vida ele assoou o nariz.

Não muito depois deste dia, em uma tarde de sábado, meu interfone tocou:

– Maurice está no saguão – o porteiro avisou. Maurice e eu nos víamos todas as segundas-feiras, mas também nos encontrávamos em outros dias, quando eu tinha tempo. Porém, não havíamos combinado de nos encontrar naquele dia. Pedi ao porteiro para falar com Maurice por telefone.

– Desculpe incomodar, dona Laura. Mas é que estou com muita fome. Será que a senhora tem algo para comer? – ele me perguntou.

– Claro que sim – eu respondi, e pedi a ele que esperasse lá embaixo. Eu o levei ao McDonald's para que ele pedisse sua refeição favorita: Big Mac, batatas fritas e um milk-shake de chocolate.

– Maurice, quando foi a última vez que você comeu? – perguntei.

– Quinta – ele respondeu. Dois dias antes.

Aquilo partiu meu coração. Acho que depois das noites de segunda-feira, eu tentava não pensar sobre como ele fazia para comer durante os outros dias da semana. Eu sabia que ele estava matriculado na escola pública, mas eu realmente não sabia como ele se alimentava durante o dia. Mas agora eu não poderia evitar a dura realidade da vida de Maurice: a de que a maior parte do tempo ele estava com fome e não tinha como se alimentar.

Enquanto comíamos, eu tive uma ideia.

– Olha, Maurice, eu não quero que você fique com fome durante as noites em que eu não encontro você, então vamos fazer o seguinte: eu posso te oferecer um pouco de dinheiro para a semana, e você terá que ser muito cuidadoso ao gastá-lo. Ou, quando você vier à minha casa na segunda à noite, nós vamos ao supermercado, eu compro tudo que você gosta de comer e faço o seu almoço para a semana. Eu deixo a comida com o porteiro e você passa para pegá-la no caminho para a escola.

Maurice olhou para mim e fez uma pergunta.

– Se você preparar o meu almoço, pode colocá-lo num saco de papel marrom? – ele perguntou.

Eu não entendi a pergunta.

– Você quer que eu coloque o seu almoço em um saco de papel marrom? Por quê?

– Dona Laura, eu não quero o seu dinheiro. Só quero a minha comida em um saco de papel marrom.

– Ok, tudo bem. Mas por que você quer a comida em um saco?

– Porque quando eu vejo as crianças indo para a escola com o almoço em um saco de papel, significa que alguém se preocupa com elas. Dona Laura, será que a senhora pode, por favor, pôr o meu lanche em um saco de papel?

Eu desviei o olhar quando Maurice disse aquilo, para que ele não visse os meus olhos cheios de lágrimas. "Um simples saco de papel marrom", pensei.

Para mim, aquilo não significava nada. Para ele, aquilo era tudo.

~

Fazia dois meses que eu conhecia Maurice quando, depois de um dos nossos jantares de segunda, ele me perguntou:

– Dona Laura, posso pedir uma coisa?

– Claro, Maurice.

– Vai ter uma reunião de pais na minha escola e eu queria saber se a senhora poderia ir – ele perguntou.

Maurice e eu falávamos ocasionalmente sobre a escola. Certa vez, eu perguntei a ele como estava indo e ele respondeu:

– Eu não entro mais em briga depois que conheci a senhora.

Essa foi uma das primeiras vezes em que pensei que eu poderia estar fazendo a diferença na vida dele, então fiquei entusiasmada em conhecer seus professores e em saber mais sobre ele. Eu também queria que os professores dele me conhecessem. Todos os conselhos de Valerie e da minha família instigaram-me a trazer para o meu lado alguém do mundo de Maurice. Conhecer seus professores e conquistar a confiança deles seria algo positivo.

Mas, acima de tudo, eu queria ver Maurice em um ambiente escolar. Eu precisava vê-lo em uma situação em que ele era uma criança e não o adulto que a sua vida o obrigou a ser. Eu estava preocupada que ele não tivesse nenhuma conexão com o seu lado inocente – que a convivência nas ruas tivesse tirado dele qualquer chance de ser uma criança curiosa e ingênua, como todas as outras.

A triste verdade era que eu conhecia Maurice apenas como um mendigo.

~

Maurice começou a pedir dinheiro quando tinha nove anos. Fazia isso por uma ou duas horas durante o dia até conseguir dinheiro suficiente – quatro ou cinco dólares – para comprar um pedaço de pizza ou um hambúrguer e talvez jogar um pouco de video game. A maioria das pessoas lhe dava 5, 10 ou 25 centavos; muito raramente ele conseguia uma nota de 1 dólar. No início, sua mãe não sabia que ele estava pedindo dinheiro nas ruas, mas por fim ela não só descobriu como também percebeu que ele era bom no que fazia. Ela começou a sair com ele para conseguir dinheiro para comprar drogas. Maurice não gostava disso, e deixou de ir com ela. Darcella encontrou outras crianças pelo bairro – de quatro, cinco anos de idade, também filhas de mães viciadas – e as usava como isca para pedir esmolas.

Maurice voltou a pedir esmola sozinho. Frágil, como qualquer criança, ele conseguia escapar dos maiores perigos nas ruas, exceto uma vez na Pizza Hut da Times Square, quando um cliente irritou-se ao vê-lo pedindo dinheiro na entrada. O homem saiu do restaurante, dirigiu-se a Maurice e deu-lhe um soco no rosto.

Maurice cambaleou, mas não caiu. Ele olhou para o homem e disse:

– Se você quer bater numa criança, deveria pelo menos conseguir derrubar ela.

Antes que o homem o acertasse novamente, o "código" das ruas falou mais alto. Vários vendedores de rua – imigrantes da África que vendiam bolsas falsificadas da Louis Vuitton e falsos relógios da Rolex para os turistas – atravessaram a avenida e começaram a procurar o homem dentro da pizzaria. Maurice conhecia esses vendedores – eles também moravam no Bryant, seis deles no mesmo quarto – e eles não ficariam parados ao verem um amigo ser atacado. Um deles bateu na janela do restaurante com tanta força que a partiu em pedaços. Uma viatura da polícia chegou e os vendedores se espalharam. Um policial abordou Maurice e perguntou-lhe quem havia quebrado a janela.

– Você conhece aqueles caras? – o policial indagou. – Me dê o nome deles.

Maurice disse ao policial que nunca havia visto aqueles caras na vida.

No dia seguinte, ele roubou um estilete em uma farmácia Duane Reade.

Quando não estava pedindo dinheiro nas ruas, Maurice ia à escola. Sua mãe recebia assistência do governo e, para manter o benefício, ele deveria permanecer devidamente matriculado na escola. Ele não frequentava as aulas todos os dias, e normalmente chegava atrasado. Porém, como eu logo descobri, a escola era muito importante para Maurice.

Quando eu o conheci, ele estava matriculado na I.S. 131, no distrito Chinatown, em Manhattan. Ele era considerado um aluno especial, o que significa que ele estudava com outros alunos que também tinham problemas de desenvolvimento ou problemas sociais. Uma de suas primeiras professoras nessa instituição, senhorita Kim House, sabia que ele era um aluno brilhante, porém com dificuldades. Ela percebia que ele geralmente vinha à escola com os cabelos despenteados e vestindo sempre os mesmos moletons sujos. A higiene dele era terrível e ele cheirava mal, pior que qualquer outro aluno. As outras crianças o incomodavam em relação a isso, o que deixava Maurice furioso. Ele as enfrentava; Maurice era forte e robusto, capaz de se defender. Ele nunca bateu em outra criança, mas entrou em muitas brigas enfrentando-as, empurrando e gritando. Quando estava concentrado, Maurice era um aluno aplicado e inteligente. A senhorita House acreditava que ele poderia ser um dos melhores, mas muitas vezes ela temia que ele não chegasse a tal resultado – ela temia que a raiva dentro dele pudesse vencê-lo e que ele simplesmente parasse de frequentar a escola.

Ela nunca soube o que estava por trás de toda aquela raiva; na verdade, ela sabia muito pouco sobre a vida dele até o dia em que a mãe de Maurice foi à escola para uma reunião com os funcionários da instituição – uma exigência do programa de assistência pública do qual ela era beneficiária. Durante a aula, a senhorita House recebeu uma mensagem para comparecer à sala do diretor. Houvera um inconveniente envolvendo a mãe de Maurice. Quando a professora chegou à sala, ela viu Darcella gritando diante do diretor. Estava agitada, furiosa, fora de controle, berrando, mexendo os braços e apontando o dedo; não ouvia ninguém, nem mesmo por um momento. Foi necessário chamar a segurança.

A senhorita House segurou no braço de Darcella e pediu:

– Venha comigo.

Ela a levou até o banheiro, colocou-a próxima à pia e jogou água gelada no rosto da mulher.

– Fique calma, – ela pediu – está tudo bem. Darcella parou de gritar. A senhorita House não sabia o motivo pelo qual ela estava furiosa, e também não deu importância a isso. Pôde perceber, pelos olhos vermelhos dela, que era uma viciada. Permaneceu com Darcella no banheiro por alguns minutos, acalmando-a. Por fim, a agitação diminuiu. Agora, Darcella parecia apenas cansada. – Você quer subir e ver o seu filho?

Darcella pensou por um instante e respondeu:

– Não.

A senhorita House pediu a ela que fosse para casa e disse que ela poderia voltar outro dia para conversar. Ao sair, Darcella virou-se e pediu desculpas.

– Desculpe, desculpe, desculpe.

– Tudo bem – a senhorita House respondeu.

Agora, pelo menos, ela tinha uma ideia do motivo pelo qual Maurice era daquele jeito. Todos os alunos da sua sala especial tinham os seus momentos ruins e de fúria, mas Maurice era muito mais furioso que qualquer um deles. Quando estava de mau-humor, ele simplesmente se desligava e ia para o fundo da sala, escondendo-se de si mesmo. Pelo menos agora havia um contexto que justificava o comportamento do menino. Depois da visita turbulenta de Darcella, Maurice parou de ir à escola. Ele perdeu quatro dias de aula. A senhorita House pediu permissão ao diretor para visitar Maurice e saber o que tinha acontecido. Ela foi ao Bryant e viu o que eu também vi quando estive lá – a situação era mais deplorável do que ela poderia imaginar. Então ela viu Maurice vindo até a porta e, quando ele a viu, ficou chocado – assim como ela. Ela não conseguia acreditar no que via; e ele não podia acreditar que ela viera até ali para ver.

Enquanto ela conversava com a avó de Maurice, ele se escondeu em um lençol que estava amarrado na entrada do quarto. A senhorita House sabia que ele estava envergonhado. Ela se aproximou de Rose e disse a ela que havia quatro dias que ele não aparecia na escola.

– Ele está com problemas na escola? Ele foi suspenso? – Rose indagou.

– Não, não há nenhum problema com ele. Mas ele não tem ido às aulas.

– Ele é um bom garoto. Um menino muito bom. E você é uma mulher muito boa por se preocupar com ele. Muito obrigada. Obrigada mesmo.

Antes de sair, a senhorita House despediu-se de Maurice.

Ela olhou em seus olhos e disse:

– Você precisa voltar para a escola.

E ele voltou.

Depois disso, a senhorita House passou a prestar mais atenção em Maurice. Ela descobriu o que o desviava do caminho: caos, desordem, interrupções. A vida dele em casa era completamente instável e, mais do que qualquer outra coisa, ele precisava de algo que lhe trouxesse um pouco de paz e calma. No fundo da sala de aula havia duas mesas para leitura e, quando as coisas ficavam agitadas, ela pedia a Maurice que se sentasse em uma daquelas mesas. Ele adorava sentar ali sozinho; e assim conseguia realizar todas as suas tarefas. Maurice logo percebeu que a professora estava observando-o e, para ele, o apoio dela era como uma proteção. Certo dia, após a escola, ele seguiu a senhorita House quando ela estava entrando no metrô a caminho do banco, no centro da cidade. Ela o avistou enquanto estava na fila.

– O que você está fazendo aqui, Maurice?

– Eu não tenho nada para fazer, então vim com a senhora até aqui – ele respondeu.

Ela comprou um cachorro-quente para ele e pediu que voltasse para casa.

A gentileza da senhorita House o ajudou, mas as dificuldades de Maurice não desapareceram. Ele continuava chegando atrasado para as aulas e, na maioria das vezes, parecia muito exausto – cansado demais para concentrar-se. Suas notas eram ruins, e ele parecia não se preocupar nem um pouco em melhorá-las. Suas roupas continuavam sujas e ele ainda cheirava mal. E continuava brigando com os garotos que zombavam dele. A única esperança que a senhorita House tinha eram pequenos sinais de progresso – Maurice apresentava uma ligeira melhora ao falar à frente da classe e brigava um pouco menos.

A senhorita House também ficou animada com algo que ouvia Maurice dizer de vez em quando. Normalmente, ele não tinha o hábito de dividir sua vida pessoal com os outros alunos, nem mesmo com ela. Mas agora, de vez em quando, ele vinha lhe contar algo, e contava com muito orgulho.

– Eu fui à casa da dona Laura ontem à noite.

~

Quando Maurice me pediu para ir à escola, eu perguntei:

– E a sua mãe? Ela não deveria ir com você?

– Não... ela não vai – ele respondeu.

– Maurice, eu fico feliz em ir com você, mas você precisa contar à sua mãe sobre a reunião e perguntar se ela pode ir. Se ela não puder, eu vou.

Meu breve encontro com Darcella levou-me a pensar que muito provavelmente ele estava certo: ela não estava interessada. Mesmo assim, eu não queria invadir o espaço dela. Ela era mãe dele, e eu sabia que ele a amava, da maneira incondicional que as crianças amam os seus pais. Eu nunca quis fazer ou dizer algo para me intrometer nisso. Durante a minha infância, eu nunca tive permissão para falar mal do meu pai, ainda que o comportamento dele fosse horrível. Quando eu começava a dizer algo, minha mãe me interrompia de maneira severa e me advertia para nunca dizer aquilo novamente.

– Mas *você* fala! – eu insistia. – *Você* fala coisas ruins sobre ele.

– Eu sou esposa dele e por isso eu posso falar – ela justificava. – Ele é o seu pai, nunca se esqueça disso.

Maurice concordou em falar com sua mãe e pedir permissão para que eu fosse em seu lugar, caso ela não fosse. Jantamos, arrumamos a mesa e preparamos os nossos biscoitos. Depois, Maurice me perguntou:

– Dona Laura, quando a senhora for à escola, a senhora vai vestir as mesmas roupas que usa para trabalhar?

Eu o encontrava logo após o trabalho, então ele estava acostumado a me ver com vestidos elegantes, saias e suéteres.

– Eu acho que posso voltar para casa e trocar de roupa antes – eu respondi.

– Não – ele disse. – Eu gostaria que a senhora fosse com as roupas do trabalho. A senhora está sempre tão elegante...

~

Na quarta-feira, dia da reunião de pais e professores, eu encontrei Maurice na garagem do meu prédio e nós fomos até a escola. Era um conjunto de edifícios grandes e sombrios na Hester Street; uma das laterais era repleta de curvas, um tipo de Guggenheim de baixa renda. Fiquei surpresa ao perceber que estava nervosa. Eu queria causar uma boa impressão aos professores de Maurice. Fomos até a sala de aula, onde a senhorita House estava esperando.

– Olá, eu sou Laura Schroff. Prazer em conhecê-la.

A senhorita House apertou a minha mão e disse:

– Muito prazer em conhecê-la também. Maurice tem me falado muito sobre você.

Ela foi muito acolhedora, mas percebi que estava me observando, me avaliando. Ela devia estar curiosa para saber quem eu era e por que eu estava exercendo aquele papel na vida de Maurice.

– Maurice, por que não vai dar uma volta pela escola? Eu gostaria de conversar com a senhorita Schroff em particular – ela disse.

Maurice parecia apavorado e ficou parado como uma estátua. Ele não queria sair. Dois meses antes, eu não conseguiria entender a reação dele, mas agora eu sabia exatamente o que ele estava pensando.

A preocupação dele era que a senhorita House me dissesse o mau aluno que ele era, quantas brigas ele arrumava e por que não era seguro para mim permanecer junto dele.

Maurice estava aterrorizado pela ideia de perder o que ele tinha.

Olhei para ele e coloquei a minha mão sobre seu ombro. Eu não disse uma palavra sequer; apenas o olhei. As palavras não o convenceriam a respeito do que ele precisava saber. Eu queria que ele soubesse que eu jamais o abandonaria.

Eu precisava que ele *acreditasse* que eu não iria embora.

Eu sorri, pisquei para ele e fiz que sim com a cabeça. Ele relaxou os músculos do rosto e sorriu para mim.

Ele acreditava em mim.

Maurice foi para o corredor e a senhorita House e eu nos sentamos.

– Você deve saber que Maurice sente muito orgulho de você – ela disse. – Ele fala sobre você com frequência.

– Eu tenho muito, muito orgulho dele. Ele é um garoto muito especial – eu afirmei.

– Como vocês dois se conheceram?

Eu contei a ela a nossa história, falei também sobre os nossos jantares às segundas-feiras, a minha visita ao Bryant e sobre como eu sentia que Maurice finalmente estava confiando em mim.

– Espero que eu esteja fazendo a diferença na vida dele – eu disse.

– Você está. Maurice não é uma criança fácil de controlar. Ele chega sempre atrasado; quando decide aparecer na escola. E está sempre arrumando briga. Ele demonstra uma raiva enorme às vezes, mas ele é inteligente e amável, e ultimamente não tem arrumado tanta briga quanto antes.

Percebi que a senhorita House se preocupava com Maurice. Ela *gostava* dele. Ela tinha uma sala cheia de crianças com vidas conturbadas, cada uma com os seus próprios medos e inseguranças, e ela se preocupava muito com todas elas. Mas ela podia ver que as circunstâncias de Maurice eram piores do que as da maioria e, em vez de virar as costas para ele, ela o encarava de frente. Ela tentava fazer a diferença. Tenho certeza de que ela não tinha um salário alto, mas isso não importava – ela estava muito determinada em não permitir que aquelas crianças se esvaíssem pelos buracos das rachaduras.

– Senhorita Schroff, eu preciso lhe dizer algo – ela disse, inclinando-se para frente. – Crianças como Maurice estão sempre decepcionadas com a vida. Todos os dias alguém as deixa mal. Eu espero que você tenha consciência de que não pode entrar e sair da vida dele. Se você pretende ficar ao lado dele, terá de permanecer de verdade na vida dele.

A senhorita House olhou fundo nos meus olhos.

– Você não pode simplesmente acordar um dia e abandonar esse menino.

Eu conhecia Maurice há apenas alguns meses, mas já sabia que ele permaneceria em minha vida por muito, muito tempo. Eu sabia disso em meu coração. E foi isso que eu disse à senhorita House.

– Maurice é meu amigo. E eu nunca abandono um amigo – eu afirmei.

~

Depois da nossa conversa, eu encontrei Maurice no corredor. Ele estava nervoso e queria saber o que a senhorita House havia dito sobre ele. Eu lhe disse que conversaríamos sobre isso após o jantar. Fomos até o restaurante Junior's, no Brooklyn. Maurice tinha ouvido que eles faziam o melhor *cheesecake* da cidade e estava morrendo de vontade de experimentar. Depois de comermos, eu contei a ele o que a professora havia me dito.

– Ela se preocupa com você, quer que você seja um bom aluno e que se desenvolva na escola – eu disse. – Ela falou que você é um aluno muito, muito inteligente, e que ela está do seu lado.

Maurice sorriu. Ele ficou claramente emocionado com as palavras da professora.

– Mas tem uma coisa que ela precisa que você faça: você precisa parar de arrumar briga, precisa fazer sua lição de casa e, o mais importante, chegar à aula no horário certo. Sei que é difícil para você se concentrar em casa, com tanta coisa acontecendo, mas você precisa encontrar uma maneira de fazer sua lição da escola. E você precisa chegar no horário certo. Se a aula começa às 7h40, você tem que estar lá às 7h40 ou até mesmo às 7h30. Você não pode aparecer às 8h ou 8h30. Isso é inaceitável, Maurice. Você entende?

Não fui dura com ele. Apenas o informei sobre a importância da pontualidade no mundo do trabalho e falei que ele simplesmente precisava chegar na hora, e que ele deveria assumir o controle da situação da melhor maneira possível. Quanto mais eu falava, mais confuso ele ficava, até que desviou o olhar e começou a chorar.

Eu nunca o tinha visto chorar, e aquilo cortou o meu coração.

– Maurice, qual é o problema? Você está bem?

– Dona Laura, você não entende... – ele disse.

Naquele instante, ocorreu-me que Maurice sentia que tinha me decepcionado.

– O meu quarto não tem nenhum relógio. Eu nunca sei que horas são – ele desabafou.

– Maurice, desculpe-me se eu fui dura com você. Podemos resolver isso juntos. Ajudaria se eu comprasse um despertador para você?

– Sim, ajudaria – ele respondeu.

– Ok, então. Vou comprar um despertador para você e também um relógio de pulso. Quando você for para casa, você os esconde em algum lugar para que ninguém pegue. Mantenha-os perto de você quando for dormir. Em troca, você tem que me prometer que vai se esforçar para chegar à escola no horário certo, ok?

– Ok, eu prometo – ele respondeu.

– Eu sei que não é fácil, Maurice. Sei que a vida não é fácil.

Maurice parecia aliviado. Aquilo tudo era encorajador para ele, pois o fez perceber que às vezes as situações ruins podem ser reparadas. Ele poderia realizar mudanças em sua vida e talvez, com uma pequena ajuda, poderia até viver de maneira completamente diferente.

Maurice me contou que, por muito tempo, acreditou ser analfabeto. Ele foi avaliado por funcionários da escola e sua mãe participou da avaliação. Ao término, ela disse a Maurice que ele não conseguia ler nem escrever. Ele sabia que não era verdade – ele escrevia, mesmo que bem devagar. Mas, depois de um tempo ouvindo com frequência a mãe e os primos dizendo que ele não conseguia, ele passou a acreditar nisso. Quanto mais ele se saía mal na escola, mais evidente ficava que ele nunca saberia o bastante.

Foi quando lhe contei que eu tinha sido uma aluna terrível, tão ruim que repeti várias séries e nunca entrei na faculdade.

Maurice ficou surpreso com o que falei. Para ele, eu não parecia alguém que tinha problemas na escola. Se eu tinha superado isso e me tornado bem-sucedida, talvez ele pudesse também. Talvez ele não precisasse ser a pessoa que todos diziam que ele era.

capítulo 10

a mesa grande

Sempre gostei desta famosa citação de uma escritora muito conhecida, Elizabeth Lawrence: "Há um jardim em cada criança, um lugar encantado onde as cores são mais brilhantes, o ar mais suave e a manhã mais perfumada do que noutro lugar qualquer".

Gosto dessa escritora porque ela capta a maravilha dessas duas coisas: a natureza e a infância. E porque me faz lembrar dos momentos mais felizes na Huntington Station. Não é como se vivêssemos no campo – na verdade, não morávamos muito longe de um dos primeiros shopping centers de Long Island –, mas nós tínhamos muitas árvores e um bosque próximos à nossa casa e um jardim onde podíamos rolar na grama fresca. Nunca nos preocupávamos em trancar as portas e os nossos pais nunca se preocupavam quando saíamos para brincar. Huntington Station, nos anos 1950, era um lugar seguro. *Havia* algo especial no tempo que eu passava ao ar livre, quando era criança – aqueles dias em que minha mãe colocava toalhas e óleo de bebê da Johnson & Johnson's em uma bolsa e nos levava para passar o dia na praia de Robert Moses. Ou quando eu corria atrás de uma borboleta no jardim, ou procurava por um trevo de quatro folhas ou simplesmente deitava na grama e observava as nuvens com formato de elefante. Naqueles momentos, eu sentia que o mundo era um lugar verdadeiramente mágico.

Maurice não tinha nenhum lugar como esse. Ele não tinha um jardim encantado. Lembrei-me das palavras de Elizabeth

Lawrence quando Maurice me contou que ele nunca havia saído da cidade, nem mesmo por um dia. Ele sempre viveu encurralado pela massa de concreto de Manhattan, do Brooklyn e do Queens; tudo o que ele conhecia era ruído, trânsito e congestionamento. O contato mais próximo que ele tinha com a natureza era quando ia ao Central Park.

Aproximadamente na nossa oitava semana juntos, telefonei para a minha irmã Annette, que era casada, tinha três filhos e morava em Greenlawn – uma pequena e encantadora cidade a uma hora de distância de Nova York, localizada na costa norte de Long Island. Perguntei a ela se poderia levar Maurice para uma visita. Os filhos dela tinham mais ou menos a mesma idade dele – Colette tinha onze anos, Derek tinha nove e Brooke, sete – e imaginei que Maurice se divertiria ao passar um dia ao ar livre, fazendo o que os meus sobrinhos faziam: brincavam no balanço do jardim, andavam de bicicleta, jogavam beisebol. Annette não hesitou:

– Não vejo a hora de conhecê-lo! – ela disse.

Naquele sábado, Maurice e eu viajamos pela via expressa de Long Island. Ele vestia calças novas e eu havia comprado para ele uma linda blusa azul de moletom. Ele sentia uma mistura de entusiasmo e ansiedade. Maurice não tinha a menor ideia do que veria. Era a primeira vez que saía do confinamento da cidade de Nova York.

Também seria a primeira vez que ele poria os pés em uma casa própria.

Durante a viagem, Maurice cantou ao som das músicas do filme *La bamba*. Em uma das segundas-feiras em que estivemos juntos, tínhamos ido ao cinema para assistir ao filme que contava a história do cantor Ritchie Valens, que morreu tragicamente. Maurice adorou o filme e a música e eu lhe dei de presente a trilha sonora. Ele a ouvia sempre que possível, no meu apartamento e no meu carro. Ele cantava as letras e me pedia que tocasse as músicas repetidamente. Fiquei um pouco cansada de ouvi-las, mas estava feliz por fazer a vontade dele. Era muito bom vê-lo desembaraçado cantando alegremente.

Chegamos a Greenlawn e seguimos em direção à casa de Annette. Era uma casa de dois andares, no estilo colonial. Ficava em um terreno de meio hectare, tinha um enorme e muito bem cuidado gramado à frente e, aos fundos, um quintal ainda maior, rodeado por uma cerca. Greenlawn era bem melhor que Huntington Station, uma cidade de classe média. Maurice não conseguia acreditar que uma única família possuísse toda aquela propriedade. O gramado da frente, com toda aquela grama verde e brilhante, parecia-lhe de uma vastidão incrivelmente luxuosa. Dentro da casa, eu o apresentei à minha irmã e a toda a família: seu marido, Bruce, um homem amável que vendia equipamentos médicos, e as três lindas crianças. Meus sobrinhos olhavam Maurice com curiosidade, como qualquer criança faria diante de um recém-chegado. Minha irmã havia conversado com eles sobre Maurice – que ele era de uma família pobre, que não tinha todas as coisas que eles tinham e pediu que o fizessem sentir-se à vontade. Derek não perdeu tempo.

– Quer ver o meu quarto? – ele perguntou, e levou Maurice até o andar de cima. As meninas e eu subimos em seguida.

Percebi que Maurice estava surpreso ao ver que cada criança tinha o seu próprio quarto. Isso também era um luxo que ele não conseguia compreender. Derek tinha bandeiras e pôsteres de beisebol pendurados na parede; os quartos das meninas eram cheios de frescuras e bichos de pelúcia. Maurice caminhou pelo quarto sem pronunciar uma palavra, apenas observava tudo.

– Vamos brincar no balanço – disse Derek, levando todas as crianças para o quintal. Observei por um tempo Maurice brincando; ele se entrosou com os filhos de Annette muito rapidamente e sem nenhum esforço. Para os meus sobrinhos, Maurice não era invisível, como era para muitos adultos – era apenas mais uma criança. Observei Maurice balançando cada vez mais alto, com os pés se movendo em direção ao céu.

Havia muitas coisas na casa de Annette nas quais Maurice não podia acreditar. Um cômodo apenas para assistir TV? Uma lavadora e uma secadora apenas para eles? Um banheiro no andar de baixo e mais dois no andar de cima? O mais surpreendente de tudo era a sala de jantar, feita exclusivamente para as pessoas sentarem, conversarem e comerem. Maurice vivia em um único cômodo com mais oito ou doze pessoas. Quando tinha algo para comer, ele o fazia em qualquer canto que estivesse quando lhe entregavam a comida.

Derek, no comando das atividades, sugeriu que Maurice e ele fossem dar uma volta de bicicleta. Bruce foi até a garagem e pegou a bicicleta velha de Derek para Maurice. Eles subiram e desceram pelas ruas tranquilas e só voltaram uma hora depois.

Logo chegou a hora do jantar. Maurice sentou-se perto de mim na grande mesa de jantar enquanto Annette trazia várias travessas de comida – frango, brócolis, purê de batatas, tudo o que tinha direito. Maurice abriu o seu guardanapo e o colocou sobre o colo, como eu havia ensinado, e olhou para mim como se quisesse dizer: "Assim?". Balancei a cabeça discretamente querendo dizer que sim. Maurice voltou a olhar para mim disfarçadamente ao segurar o garfo, ao cortar o frango, e se serviu de mais uma porção de purê de batatas. Eu consentia balançando a cabeça e sorria, para que ele soubesse que estava se saindo muito bem. Annette e sua família trataram-no como um convidado de honra; fizeram perguntas a ele sem parecerem invasivos.

O jantar se estendeu por duas horas. Depois, Maurice me contou que não conseguia acreditar que as pessoas sentavam-se à mesa apenas para *conversarem* durante o jantar. Aquela era uma experiência completamente nova para ele. Notei que ele foi o último a terminar a refeição; Derek e suas irmãs já haviam terminado enquanto Maurice ainda estava com metade do prato cheio. Não porque ele não estivesse com fome ou porque a comida não fosse deliciosa.

Maurice estava *saboreando* a refeição.

Após o jantar, as crianças foram assistir TV na sala de estar enquanto eu e minha irmã conversávamos. Espiei algumas vezes e vi que Maurice estava sentado tranquilamente no sofá.

– Laura, pare de se preocupar. Ele está bem – Annette disse.

Era verdade, ele estava bem. Mas eu me sentia ansiosa, como se algo de errado estivesse prestes a acontecer. Creio que havia se enraizado em mim a ideia de que uma tarde calma em casa poderia se transformar em algo caótico em um instante, mas eu sabia que Annette havia prometido proporcionar aos seus filhos uma infância diferente daquela que tivemos. Agora, ela tinha uma família com quem podia desfrutar de um sábado de outono sem brigas ou sem ter de se esconder debaixo das cobertas. Levou algum tempo – anos e anos – para que ela pudesse verdadeiramente baixar a guarda para relaxar, mesmo quando estava com a sua nova família. Aquele sábado, quando Maurice e eu passamos o dia com a família dela, eu percebi que minha irmã conseguira de fato realizar o seu sonho. Annette havia conquistado aquilo que nós, por muito tempo, não tivemos: paz.

Finalmente, chegou a hora de ir embora e as crianças despediram-se de Maurice. Derek e Maurice apertaram as mãos como os garotos fazem, de maneira desajeitada, sacudindo o braço para cima e para baixo. No caminho de volta para casa, Maurice permaneceu quieto; ele não pediu para pôr as músicas de *La bamba.*

Ele tivera um excelente dia, e agora teria de voltar ao seu mundo. Para Maurice, essa era a parte mais difícil.

Sempre me sentia muito mal ao dizer tchau para ele, porque eu sabia para onde ele tinha que voltar. Refleti muitas vezes sobre a ideia de que mostrar a ele aquela outra experiência, em que as crianças brincavam e a comida chegava em travessas gigantes, talvez fosse algo cruel. Qual era o objetivo de mostrar-lhe uma vida melhor, para depois simplesmente arrancá-la dele? Aquilo o ajudava ou o machucava? Pensei muito sobre isso e finalmente decidi que, se Maurice e eu falássemos sobre o assunto e reconhecêssemos a dificuldade em entrar e sair de dois mundos drasticamente diferentes, então não faria mal continuar. Pelo menos ele estava vendo que existiam formas de viver diferentes da que ele tinha em casa; pelo menos ele podia se sentir tranquilo e feliz por um dia.

Mais tarde, Maurice me diria que ele nunca, nem em um milhão de anos, desistiria do que eu e ele tínhamos.

– Então, do que você mais gostou na casa da minha irmã? – perguntei a ele ainda no carro, no caminho de volta para casa.

– A mesa grande – ele respondeu imediatamente.

– A mesa? A mesa da sala de jantar?

– Sim – ele respondeu. – Eu gostei porque todo mundo sentou em volta dela e conversou.

Depois ele disse:

– Dona Laura, um dia, quando eu crescer, quero ter uma mesa bem grande como aquela para mim e para minha família. Quero sentar em volta dela e conversar como eles fazem.

Era a primeira vez que eu o ouvia falar sobre o futuro. Então, Maurice, cansado de tanto brincar no balanço e andar de bicicleta, encostou a cabeça no vidro da janela e dormiu.

~

Agora que Maurice tinha conhecido a minha família, eu me sentia mais confortável para convidá-lo para passar o Dia de Ação de Graças conosco. Geralmente nós nos reuníamos na casa de Annette, mas eu estava planejando algo diferente para aquele ano. Eu havia acabado de mudar para o Symphony e sabia que havia uma pista de corrida ao ar livre no décimo andar do edifício. A pista tinha vista para a Broadway, o que significava que o desfile de carros alegóricos e os balões do Dia de Ação de Graças passariam por nós em direção ao Macy's. Pensei que Maurice e as outras crianças se divertiriam muito ao vê-los de perto. Caramba, eu mesma me divertiria ao vê-los passar! Então eu convidei todo mundo para passar o Dia de Ação de Graças comigo.

Foi um dia maravilhoso. Annette, Bruce e as crianças vieram, bem como minha irmã mais nova, Nancy, e meus irmãos, Frank e Steve. Deixamos no forno o peru que Nancy havia me ajudado a preparar e fomos para a pista. Enquanto esticávamos o pescoço para ver a Broadway, vimos os balões de gás hélio subindo – era algo mágico.

Lentamente eles seguiam em direção à avenida, balançados pela brisa. Vê-los passar quando se está no chão é algo inesquecível, mas observando-os do décimo andar eles ficavam à altura dos nossos olhos. Quando passaram pelo Symphony, foi como se pudéssemos estender as mãos para tocá-los. Um após o outro, aqueles magníficos gigantes passavam à nossa frente: o velho Snoopy, Raggedy Ann, o marinheiro Popeye e o Sapo Kermit, que flutuava feliz pelos ares. Maurice e as crianças estavam muito entusiasmados, e para ser sincera, eu também estava; não esperava que os balões passassem tão perto. Era como um lindo sonho – aqueles personagens de desenhos animados passando diante dos nossos olhos, brilhantes e coloridos, como se estivessem acenando para nós no vento. Quando por fim o Super-Homem passou, eu estava gritando e aplaudindo tão alto quanto as crianças. Talvez, exceto por Maurice. Lembro-me até hoje da expressão do seu rosto ao ver os balões passando. A única palavra que posso usar para descrevê-la é: *admiração.*

Além das minhas irmãs e dos meus irmãos, eu também havia convidado nosso pai, Nunzie. Em 1986, Nunzie tinha quase setenta anos e era um pouco mais amável, mas ele ainda exercia certo poder sobre nós. Quando Annette se casou, a felicidade dela foi de certo modo assombrada pelo medo de que meu pai bebesse e explodisse. Quando estava namorando com Bruce, ela tentava protegê-lo de Nunzie, mas, durante o seu casamento, ela só podia torcer para que o pior não acontecesse. Por sorte, meu pai estava em um bom dia, mas todos nós segurávamos a respiração sempre que Nunzie estava por perto. Éramos adultos, tínhamos as nossas próprias vidas e já não estávamos sobre o seu jugo, mas a ansiedade, o medo, era algo de que nenhum de nós conseguia libertar-se verdadeiramente.

Naquele Dia de Ação de Graças, meu pai estava se comportando muito bem. Eu o vi fechar o casaco protegendo-se do frio. Os cabelos que lhe restavam ficaram grisalhos e o seu corpo robusto estava ligeiramente curvado – uma frágil versão daquela antiga e assustadora pessoa. Observei enquanto ele conversava com Maurice; não pude ouvir sobre o que falavam, mas percebi que meu pai estava sendo muito gentil com ele, mostrando-lhe as coisas e colocando a mão sobre os ombros dele.

Ver os dois juntos – esses dois extremos da minha vida unidos – era ao mesmo tempo estranho e comovente. Não pude deixar de pensar no terror e na incerteza que enfrentávamos quando éramos crianças porque o comportamento do meu pai era semelhante ao caos que Maurice tinha de enfrentar. Se eu não podia voltar no tempo e mudar o que aconteceu conosco, talvez ao menos pudesse fazer algo para ajudar a salvar Maurice.

~

Quando éramos pequenos, assumíamos papéis que nos poupavam da loucura do nosso pai. Annette era a filha perfeita, nunca fazia nada que pudesse decepcionar os nossos pais. Nancy era a mais calada, sempre na sombra das irmãs mais velhas e feliz por se manter nessa posição. Depois havia eu, a rebelde, a brincalhona – creio que a minha personalidade (que, na opinião das pessoas, eu herdara do meu pai) foi o que me protegeu. Talvez eu fosse a que mais se parecia com ele e esse fosse o motivo pelo qual ele não implicava tanto comigo.

Por outro lado, Frank e minha mãe tornaram-se o principal alvo dele. Frank era visivelmente o mais afetado pela fúria do meu pai, e desde bem cedo todos nós nos preocupamos muito com ele. Observamos que, de maneira sutil, ele ficava cada vez mais calado e perdia sua exuberância. Quanto mais era atacado – física e mentalmente –, mais parecia refugiar-se dentro de si mesmo. À medida que crescia, ele passou a enfrentar meu pai, respondendo os gritos com gritos, e eles tinham discussões terríveis – brigas intermináveis por motivo nenhum. Mas a pressão constante exercida pela fúria do meu pai o desgastou e creio que destruiu lenta e tragicamente uma parte de Frank.

Ainda assim, não havia nada que ele pudesse fazer, nada que nenhum de nós pudesse fazer. A única trégua que tínhamos era um ou dois dias depois do ataque de fúria, quando meu pai ficava extremamente amável para compensar a sua explosão. Eram, na verdade, momentos maravilhosos, uma demonstração da pessoa ótima que meu pai era quando estava sóbrio. Nesses dias, nos aproximávamos dele e tentávamos absorver todo o amor e carinho que podíamos. Mas, após um ou dois dias, começávamos a nos preparar para o próximo episódio de fúria. Se ele mantivesse um comportamento bom por mais tempo, ficávamos mais apreensivos. Sabíamos que, depois que uma tempestade passava, outra se aproximava, então vivíamos em um estado constante de medo e tensão. Apenas nos momentos mais esperançosos sonhávamos com um acontecimento extraordinário – daqueles que poderiam abalar a estrutura da Terra –, capaz de realizar uma mudança em nosso pai. Seria algo como um raio mágico que nos atiraria para uma nova vida.

Pensamos que esse raio tinha nos atingido quando meu pai decidiu trocar a carreira de barman pela de pedreiro. Construímos a casa onde morávamos, então era viável para ele pensar que poderia investir na área de construção. Assim, ele vendeu a nossa casa em Huntington Station por 22 mil dólares e mudamos para uma casa menor, que ele comprou por 16 mil dólares, em Commack, uma cidade próxima. Com o dinheiro que restou da venda, ele abriu uma empresa de construção junto a um amigo, Richie. Ele não desistiu da carreira de barman – ainda trabalhava à noite em um bar chamado Commack Bowling Alley –, mas a maior parte do tempo trabalhava construindo casas. Rezávamos para que ele tivesse sucesso nessa área e então parasse de beber – para que, como em um milagre, pudéssemos nos tornar uma família normal.

Infelizmente, a empresa durou pouco. Meu pai e Richie construíram quatro ou cinco casas e tiveram um bom lucro, porém meu pai não era um bom homem de negócios e o dinheiro escorregava de suas mãos como sabão. Ele tinha talento e era um trabalhador incansável, então era justo que atingisse o sucesso que desejava, mas também era inquieto demais para se manter concentrado na mesma coisa por muito tempo. Na verdade, ele sempre encontrava uma forma de sabotar os seus objetivos. Lembro-me de uma enorme discussão que ele teve com Richie. Meu pai chegou em casa bêbado e pegou os projetos de todas as casas que eles construíram, bem como alguns projetos futuros. Ele os amontoou no quintal e colocou fogo, transformando-os em cinzas. Richie ficou furioso quando descobriu e desistiu da parceria. Meu pai tentou manter o negócio sozinho, mas depois de certo tempo a empresa fracassou. E com ela, ao que parecia, qualquer chance que tínhamos de ter uma nova vida, uma vida tranquila.

Foi então que, como um milagre, pareceu que outro raio havia caído. Cinco anos após o nascimento da última filha, minha mãe engravidou novamente. Fiquei muito surpresa e entusiasmada e mal podia esperar para conhecer meu novo irmão ou minha nova irmã. Mais que esse entusiasmo, eu me permiti imaginar que a perspectiva de ter um novo filho e o fato de ver a esposa grávida poderiam impedir o meu pai de beber e, por consequência, de ter os seus ataques de fúria. Talvez a gravidez da minha mãe fosse algo que pudesse calar aqueles demônios de uma vez por todas.

E, por determinado período, ele realmente teve um comportamento melhor – até uma noite de frio e neve no mês de fevereiro, quando minha mãe estava em seu sexto mês de gravidez. Nossa família viajou até Hicksville – a trinta minutos de carro da nossa casa –, para passar o dia com Rose, irmã da minha mãe, Ray, o marido dela e os quatro filhos do casal. Depois do jantar, meu pai e Ray decidiram ir a um bar da região para tomar um drinque e prometeram que não demorariam. Senti uma pontada de medo quando os ouvi dizendo aquilo. Uma hora se passou, olhei pela janela e vi que a rajada de neve havia se transformado em uma nevasca. As ruas estavam totalmente brancas. Percebi que a minha mãe também estava ficando aflita, mas nenhuma de nós disse uma palavra sequer.

Então, duas horas se passaram. Estava escuro e a neve continuava caindo. Olhei pela janela e procurei desesperadamente por algum sinal deles, mas tudo o que vi foi neve. Minha tia, percebendo a nossa ansiedade, sugeriu que passássemos a noite lá, mas nós sabíamos que o meu pai jamais concordaria com isso, tampouco permitiria que a minha mãe dirigisse, caso ele estivesse bebendo. Quanto mais bêbado, mais altivo ele se tornava em relação à minha mãe. Ele jamais permitiria que ela dirigisse.

Finalmente, meu pai e Ray chegaram. Era evidente que os dois haviam bebido muito, assim como estava muito claro para nós – exceto para minha tia e meu tio – que o humor do meu pai estava completamente alterado. Eu estava à beira de um ataque de pânico e pude ver que minha mãe também estava. Não estávamos preocupadas apenas com o fato de meu pai estar a ponto de explodir ao menor sinal de provocação, mas também temíamos a tempestade de neve que enfrentaríamos na estrada. Quando minha mãe sugeriu que passássemos a noite lá, ele a ignorou e pediu que pegássemos nossos casacos. Minha mãe nem ousou perguntar se poderia dirigir; ela já sabia a resposta.

Seguimos em direção ao carro como se fôssemos prisioneiros condenados – devagar e em silêncio. Minha mãe sentou na frente; Annette, Nancy, Frank e eu fomos atrás. Nos encolhemos no banco e, de maneira discreta, seguramos as mãos uns dos outros. Rezei baixinho, pedindo que nada nos acontecesse. Meu pai saiu devagar pela rua coberta de neve e entrou na pista. Eu temia até mesmo respirar, porque o barulho da minha respiração poderia aborrecê-lo.

Permanecemos em absoluto silêncio. A tensão dentro do carro era quase insuportável. Estava nevando muito e, pelo para-brisa dianteiro, não era possível enxergar mais do que alguns metros à nossa frente. A única notícia boa era que a nevasca mantinha a maioria dos motoristas fora da estrada, então havia poucos carros na pista. Mas, de repente, sem nenhuma razão aparente, meu pai acelerou o carro. Nós seguimos desenfreadamente, a neve se acumulando ao redor dos pneus. De cinquenta quilômetros por hora, passamos a oitenta. O carro ia de um lado para o outro, deslizando sobre a grossa camada de neve da pista. Minha mãe olhou para o meu pai com horror e implorou para que ele parasse. No momento em que parecia que ele perderia o controle do carro, meu pai pisou nos freios e o carro girou descontroladamente sobre a pista, ao ponto de quase sair da rodovia. Seguimos viagem em velocidade normal por aproximadamente 1,5 quilômetro, até que meu pai acelerou o carro novamente.

Ele estava nos provocando.

O carro deslizou na pista novamente e meu pai freou. Quase saímos da rodovia, porém uma vez mais conseguimos retomar a direção no último minuto. E, uma vez mais, minha mãe implorou para que ele parasse. No banco de trás, todos nós chorávamos – em silêncio. Ele acelerou o carro novamente, de maneira imprudente, desafiando a neve e ignorando o pedido de minha mãe. Eu tinha certeza de que bateríamos o carro a qualquer momento. Então, minha mãe, morrendo de medo, gritou pedindo para que meu pai parasse o carro. Nós nos unimos a ela e começamos a falar também, pedindo:

– Por favor, por favor, pare o carro!

Ele nem mesmo virou a cabeça. Finalmente, minha mãe levantou o tom de voz o mais alto que pôde e *ordenou* que meu pai encostasse o carro.

– Pelo amor de Deus, para esse carro! PARE O CARRO!!!

Meu pai acelerou ainda mais.

Foi quando dois faróis enormes surgiram próximos à esquina, vindo em nossa direção. Um ônibus surgiu na estrada. Tive certeza de que meu pai viu o ônibus vindo em nossa direção, mas por algum motivo ele não reduziu a velocidade nem desviou. Ele continuou avançando. O motorista do ônibus buzinou e, no último segundo, desviou do nosso carro. O barulho ensurdecedor da buzina do ônibus, misturado com os nossos gritos de pavor, fez com que nosso pai não continuasse adiante por nem mais um metro. Aquela suposta colisão o assustara e, finalmente, ele desacelerou e parou o carro. Décadas depois, quando penso sobre o quão perto estivemos de bater naquele ônibus – e sobre o que seria de nós se isso tivesse acontecido –, estremeço.

Quando o carro parou, foi a minha mãe quem explodiu. Acho que eu nunca a tinha visto tão nervosa. Ela nunca enfrentava meu pai – ela sabia que, se o fizesse, apenas o irritaria ainda mais. Mas ali, naquela rodovia, no meio da neve, ela teve de tomar uma posição. Ela jamais permitiria que aquele maníaco embriagado matasse os seus filhos.

Ela saiu do carro, foi até a porta do motorista e abriu-a.

– Saia do carro! – ela gritava com meu pai. – SAIA!

Meu pai não se moveu.

– Nunzie, eu não vou permitir que você dirija esse carro. – ela disse. – Por Deus, saia e me deixe dirigir.

No banco de trás, implorávamos para que ele saísse:

– Por favor, por favor!

Por fim, ele saiu. Mas, em vez de sair e sentar no banco do passageiro na frente, ele saiu caminhando. Minha mãe assumiu o volante e saiu com o carro, chamando-o para entrar. Ele não escutou; apenas continuou caminhando. Eu sabia que, em seu estado de embriaguez, ele era teimoso demais para permitir que ela o levasse para casa. Ele preferia andar em meio àquela tempestade de neve. Estávamos a pelo menos vinte minutos de distância, de carro, da nossa casa. Meu pai, bêbado e cambaleando, jamais conseguiria chegar até lá.

Minha mãe não tinha escolha. Ela ligou o carro e, com as crianças implorando para que ele entrasse, ela continuou dirigindo e o deixou para trás. A preocupação primordial dela era de nos levar para casa com segurança. Quando estávamos bem distantes do meu pai, ela parou o carro para que nos acalmássemos e nos assegurou de que o nosso pai ficaria bem. Ela disse que uma vez que chegássemos em casa, ela voltaria para buscá-lo; disse também que ligaria para o tio Sammy, irmão do meu pai, para que fosse atrás dele. Isso nos fez sentir melhor, e finalmente paramos de chorar à medida que minha mãe, com calma e devagar, nos levou até a nossa casa em meio a toda a neve. Mesmo assim, eu não pude deixar de me preocupar com meu pai andando pela estrada.

Quando chegamos em casa, minha mãe ligou para o tio Sammy e saiu para encontrar meu pai. Ela pediu para que fôssemos dormir, mas estávamos agitados demais. Depois de uma hora, eu adormeci. Acordei com o barulho do meu pai chegando em casa e batendo a porta. Ouvi atentamente e esperei que minha mãe viesse falar conosco, mas tudo que ouvi foi meu pai resmungando um pouco e depois houve um silêncio. Minha mãe chegou apenas meia hora depois. Ela havia procurado pelo meu pai debaixo de toda aquela nevasca por mais de uma hora, mas não o encontrara. Ele havia pago cinquenta dólares para um motorista trazê-lo para casa. Felizmente, ela chegou e o encontrou dormindo na cama. Se ele estivesse acordado, nosso pesadelo teria continuado.

Minha mãe veio então até o nosso quarto e Annette e eu a confortamos, como sempre fazíamos. Nós a abraçamos forte e dissemos que tudo ficaria bem; da mesma maneira que ela nos dizia tantas, tantas vezes. Mas é claro que eu sabia que nada mudaria, e minha mãe, no sexto mês de gravidez do seu quinto filho, também sabia disso muito bem.

~

Depois que os balões passaram, fomos ao meu apartamento e comemos o nosso peru de Dia de Ação de Graças. Maurice adorou sentar-se àquela mesa com todos nós conversando, sorrindo e comendo. Notei que ele comeu bem devagar novamente, como se não quisesse que a refeição terminasse. Até mesmo meu pai parecia estar se divertindo. Ele bebeu, porém não muito, e em seu rosto não havia aquela expressão sombria que conhecíamos tão bem. Ao final da noite, ele apertou a mão de Maurice e deu-lhe um tapinha no ombro. Aquilo me fez lembrar o grande pai que ele era às vezes e que poderia ter sido sempre, se soubesse como.

capítulo 11

a consulta perdida

Quando minha mãe ficou bem grande e com a barriga bem redonda, foi para o Huntington Hospital para ter o bebê. Ficamos em casa à espera de notícias. Tarde, naquela noite, nosso pai telefonou: ganhamos um irmãozinho, Steven Jude Carino. Ele nasceu forte, meu pai disse: 3,9 quilos e 53 centímetros de comprimento. Meu pai parecia tão entusiasmado quanto eu e interpretei aquilo como um ótimo sinal. Permiti a mim mesma imaginar que aqueles 3,9 quilos e 53 centímetros poderiam, de alguma maneira, mudar o meu pai de uma vez por todas.

Quando a minha mãe se recuperou do parto, voltou imediatamente a trabalhar como garçonete no serviço de bufê da Huntington Townhouse. Precisávamos de dinheiro; a empresa de construção do meu pai havia falido e ele já estava pronto para uma nova aventura. Então, minha mãe nos deixava cuidando do bebê aos sábados e trabalhava por doze horas seguidas. Mesmo com os dois trabalhando, o dinheiro sempre era pouco. Meu pai não era bom em finanças; às vezes, por algum capricho, ele aparecia com um carro novo, algum Cadillac usado que comprava para restaurar. Eu sabia que quando ele jogava dinheiro fora daquele jeito, minha mãe se aborrecia muito – mas, da mesma forma, eu também sabia que ela jamais poderia confrontá-lo. Tudo que ela poderia fazer era entregar o seu ordenado ao meu pai e esperar que ele fizesse o melhor uso possível.

Certa manhã, tínhamos uma consulta no dentista e minha mãe nos levaria. Ela havia trabalhado no dia anterior e por isso estava exausta, então dormiu demais e perdemos o horário. Meu pai não se importava se deveríamos ou não ir ao dentista; ele deixava essas coisas sob a responsabilidade da minha mãe. Porém, como estava sob o efeito de uma enorme ressaca por conta de uma bebedeira na noite anterior, ele usou o pretexto da consulta para atacá-la. E nesse dia ele realmente perdeu a cabeça.

Ele começou a praguejar contra a minha mãe e a gritar com ela na nossa frente.

– Você é uma estúpida!

Minha mãe foi ao quarto que eu dividia com Annette e deitou-se na cama conosco, mas meu pai veio atrás. Ele continuou gritando e amaldiçoando-a, a saliva saltando pela boca.

– Como você pode ser tão estúpida?

Minha mãe nos puxou para mais perto dela e esperou até que aquilo passasse.

Mas não passou. Meu pai saiu do quarto e voltou com duas garrafas de uísque cheias. Ele atirou uma delas contra a parede, por cima da nossa cabeça. Uma chuva de uísque e vidro caiu sobre nós e tentamos nos proteger puxando as cobertas. Então meu pai atirou a segunda garrafa e foi buscar mais. As garrafas se estilhaçaram por cima da nossa cabeça e o barulho era terrível. Ele continuou gritando e praguejando, muito mais do que eu já havia visto. Quando as garrafas acabaram, ele foi até a cozinha, derrubou a mesa e quebrou as cadeiras. Nesse momento, o telefone tocou e minha mãe correu para atender. Eu a ouvi pedindo socorro para a pessoa do outro lado da linha. Meu pai tomou o telefone da mão dela e arrancou a base da parede. Minha mãe voltou para o nosso quarto enquanto ele continuava chutando e arremessando os móveis, completamente fora de controle.

Quando ele finalmente se cansou, alguém bateu à porta. Meu pai a abriu e viu dois policiais – era minha tia, do outro lado da linha, quem tinha discado 190.

– Recebemos uma chamada a respeito de uma perturbação – disse um dos policiais.

Se eles tivessem dado um passo dentro de casa, teriam visto os estragos que meu pai havia causado. Mas os policiais permaneceram na porta e meu pai – que naquela altura já estava muito calmo e contido – disse a eles que estava tudo bem. De maneira espantosa, eles confiaram e foram embora. Daquela vez meu pai tinha passado dos limites. A cozinha estava absolutamente destruída, como se um tornado tivesse passado por ali. Minha cama estava coberta de cacos de vidro e encharcada de uísque.

Em silêncio, minha mãe reuniu os cinco filhos – Steven era apenas um bebê – e, sem preocupar-se em levar roupas, nos enfiou no carro e nos levou até a casa da nossa avó em Huntington. Nossa avó nos acolheu e passamos os três dias seguintes com ela. Foram os três melhores dias de nossas vidas, até então. Pela primeira vez, não precisávamos nos preocupar com o nosso pai. Ali, ele não poderia nos tocar.

Foi então que, no terceiro dia, eu ouvi minha mãe conversando com a minha avó, chorando.

– O seu lugar é ao lado do seu marido – ela a aconselhou. – Você deve voltar para ele.

Eu também chorei e implorei que minha avó nos deixasse ficar com ela, mas isso era algo que não poderíamos discutir. Era simplesmente a maneira como as coisas aconteciam naquela época. As esposas não abandonavam os seus maridos, pelo menos não nas famílias italianas. Elas aguentavam. E foi exatamente isso que a minha mãe fez; e era o que ela tinha de fazer naquele momento. Então ela nos colocou no carro e voltamos para casa.

Entramos em silêncio, aterrorizados por estarmos ali. Fui até a cozinha, sem ter certeza do que encontraria; ela estava parcialmente organizada e meu pai trouxera a mesa de piquenique para substituir a que ele havia destruído. O buraco na parede, de onde ele arrancara o telefone, continuava lá. Minha mãe, Annette e eu tivemos de organizar todo o restante que meu pai deixara desarrumado. E, como de costume, ninguém pronunciou uma palavra sequer a respeito do ocorrido. Simplesmente continuamos as nossas vidas, como se nada tivesse acontecido.

Foi o mais perto que a minha mãe alguma vez chegou de se separar do meu pai.

~

Depois daquela explosão, meu pai se acalmou. Ter um bebê em casa certamente colaborou para isso. Meu pai adorava Steven; ele realmente apreciava as características do seu filho mais novo: risonho, alegre e esperto. Desde muito cedo, Steven demonstrava uma inteligência excepcional, e como era o mais novo dos irmãos, passava muito mais tempo sozinho com a minha mãe, o que o ajudou a se desenvolver mais rápido. Minha mãe costumava ler e jogar com ele para desenvolver sua curiosidade natural. Quando tinha quatro anos, Steven já havia decorado os nomes e as datas de aniversários, e até mesmo a data de falecimento de todos os presidentes dos Estados Unidos. Meu pai se regozijava quando o ouvia recitá-los. Percebi que meu pai fazia coisas com Steve que nunca tinha feito com Frank. Ele o levava para o trabalho e comprou as 45 músicas que Steven adorava ouvir: *Winchester Cathedral*, *Barbara Ann* e coisas do gênero.

Pela primeira vez em muito tempo, meu pai parecia feliz por estar em casa e não saía para beber com muita frequência. Ele ainda bebia em casa, mas se embriagava muito menos. E, como não estava sozinho, não havia a possibilidade de se render à fúria como fazia ao sair; o momento no qual ele se *transformava* era quando ele saía do bar e entrava no carro para voltar para casa. Em casa, ele geralmente bebia até cair no sono e, no dia seguinte, próximo ao sofá, encontrávamos o seu grande cinzeiro de vidro repleto de pontas de cigarro, cinzas por toda a parte e por vezes uma queimadura entre a mesa do café e o sofá. Dos males, o menor.

Quando meu pai abandonou a área da construção, ele voltou a trabalhar como barman em tempo integral – agora ele tinha o seu próprio bar, o Windmill, na Jericho Turnpike. Minha mãe trabalhava lá como garçonete e, no início da nossa adolescência, Annette e eu passamos a trabalhar lá também, descascando mexilhões e servindo hambúrgueres. Deixamos Commack e voltamos para Huntington Station, para uma casa estilo colonial de dois andares que o meu próprio pai construiu. A casa ficava localizada em uma estrada lateral, cerca de cinquenta metros atrás de outra casa, e tinha um enorme caminho de saibro que levava até a porta de entrada. O design interior era extravagante. Pela porta da frente tínhamos acesso à sala de televisão, certamente o cômodo mais concorrido e desarrumado de toda a casa. A sala de estar, à direita, raramente era usada e nela havia pouquíssima mobília. Era necessário passar pela lavanderia no primeiro andar para chegar até o banheiro. Meu pai usava ripas de madeira no exterior e, como havia sobrado algumas, as colocou na parede da sala de jantar. Havia um pequeno e agradável jardim com árvores grandes e eu estava feliz por voltar a Huntington e por ter a oportunidade de fazer novos amigos. Além disso, entre a nova casa e o novo bar, meus pais estavam ocupados demais ou muito exaustos para brigarem.

Por volta dessa época, meus pais começaram a alugar um bangalô na praia em North Fork, Long Island. Aquelas foram as nossas primeiras férias de verdade depois de muito tempo. Passamos uma semana no alto de um penhasco, bem acima de Long Island Sound e tínhamos de descer cem degraus para chegar à água. Todos nós *amamos* a semana que passamos ali. Sempre me lembrarei que ficamos acordados até tarde jogando video game e que tomamos café na mesa de piquenique vestindo nossos pijamas. A vida era diferente ali: mais feliz, mais tranquila. Lembro que quase não houve brigas. A praia era o lugar onde todos nós podíamos respirar fundo e, durante poucos e preciosos dias, relaxar.

E assim, durante os primeiros anos de sua vida, o meu irmão Steven não tinha a menor ideia de quem o meu pai era. Ele o conhecia apenas como um pai amável, gentil e zeloso. Steven ainda não tinha cinco anos completos quando observou pela primeira vez o lado negro dele. Meu pai tinha uma grande porção de areia na parte de trás de sua picape e deixou Steven e um amigo brincarem ali com suas pás de brinquedo. Sem perceber, Steven deixou cair um pouco de areia no tanque de gasolina da picape. Quando meu pai entrou no carro e tentou ligá-lo, as luzes de alerta se acenderam. O motor não ligava. Meu pai tirou Steven da capota e deu-lhe um chute no traseiro. Steven chorava tanto que minha mãe correu para pegá-lo no colo. Nem mesmo Steven – aquele garotinho que ele adorava – estava imune à fúria do meu pai.

Mesmo assim, tentamos continuar as nossas vidas da maneira mais normal possível. Na sétima série, fiz novos amigos e comecei a namorar. Vista de fora, minha vida parecia perfeitamente normal: passava bastante tempo com meus amigos, ia ao shopping Huntington e saía no sábado à noite para dançar no Bethany Church. Mas, à medida que eu crescia, o estresse da minha família começou a ter suas consequências. Minhas notas eram muito ruins e meus professores reclamavam que eu nunca prestava atenção. Na verdade, eu estava sempre exausta demais para me concentrar. Por razões óbvias, eu não conseguia dormir bem. Quando dormia, logo começava a ter pesadelos e acordava, assustada. Dormir, para mim, nunca foi uma pausa do terror, mas sim uma continuação dele.

O único momento em que eu realmente conseguia fugir do terror era quando dormia na casa dos meus amigos. Minha melhor amiga era Sue, uma garota divertida e cheia de energia que partilhava do mesmo senso de humor que eu. Eu adorava dormir na casa dela. A mãe de Sue era secretária e seu pai trabalhava na IBM. Para mim, eles eram o modelo de família perfeita. O pai de Sue chegava em casa às seis da tarde, eles jantavam às sete e todos iam dormir às nove. Pela manhã, a mãe de Sue, que sempre vestia um avental por cima da saia ou do vestido, preparava ovos mexidos com bacon e salsicha. No balcão da cozinha, copos cheios de suco de laranja com uma pilha de comprimidos de vitamina ao lado.

Havia sempre um copo de suco e um comprimido de vitamina para mim. Sentávamos à mesa, conversávamos e ríamos, e tudo era tão fácil e tranquilo. Eu sentia que toda a tensão do meu corpo se esvaía. À noite, eu dormia sem preocupação, medo ou apreensão, e sempre acordava disposta.

Sei que pode parecer fútil, mas o que eu mais gostava de ver na casa de Sue era a maneira como o pai dela se vestia. Ele ia para o trabalho vestindo um lindo terno escuro, uma camisa branca muito bem engomada e uma gravata fina e escura – parecia ter saído de um comercial de TV. Lembro que eu desejava que meu pai fosse igual a ele. A verdade é que eu sentia vergonha porque meu pai era barman. Eu odiava o fato de ele trabalhar à noite, e odiava também que nós tivéssemos que "pisar em ovos" quando ele chegava em casa bêbado. Tenho certeza de que a família de Sue tinha os seus problemas, mas para mim eles eram tudo aquilo que a minha família não era: felizes, amorosos e normais.

Às vezes, mas não sempre, eu convidava Sue para dormir em minha casa. E sempre foi um risco – eu nunca sabia se meu pai iria explodir quando ela estivesse por perto. Certa noite, Sue e eu estávamos dormindo no meu quarto quando ouvi a voz do meu pai no andar debaixo. Não consegui escutar o que ele dizia, mas não importava. Eu chacoalhei Sue para que ela acordasse e pedi a ela que se vestisse.

– Qual é o problema? – ela me perguntou, sonolenta.

– Vista-se. Você precisa ir para sua casa.

Tirei Sue de casa às duas da manhã e, na companhia de Annette, a levei para casa dela de carro. Nunca contei por que fiz aquilo, ou se contei, foi apenas muitos anos depois. Eu não queria que nenhuma das minhas amigas visse o meu pai em meio a um ataque de fúria. Não suportava a ideia de que elas soubessem que eu vivia daquela maneira.

Naquela época, os negócios no Windmill já não iam muito bem. Tenho certeza de que meu pai perdeu milhares e milhares de dólares distribuindo bebidas de graça. De maneira lenta e progressiva, o Windmill o arrastava para o fundo. Em casa, o dinheiro era cada vez mais escasso; meus pais trabalhavam por muitas horas e tinham pouco retorno. O cerco apertava. Fazia tempo que não acontecia um grande ataque de fúria, mas nós sabíamos que isso não estava muito longe. Era apenas uma questão de tempo.

Certa tarde, eu estava na casa de Sue quando o telefone tocou. Ela me disse que era a minha irmã, Annette. Peguei o telefone e, pelo tom de voz de Annette, percebi que algo muito grave havia acontecido.

– Vem pra casa agora. – ela disse. – *Já*!

Montei na minha bicicleta e pedalei furiosamente até minha casa, a poucas quadras dali. Quando atravessei a porta de entrada, a primeira coisa que notei foi que a mimosa artificial que mantínhamos ali estava caída no meio da sala da TV. Prendi a respiração para não gritar. Normalmente os ataques de fúria do meu pai aconteciam à noite, então eu conseguia me esconder no meu quarto, apagar as luzes e desaparecer em meio à escuridão. Mas estávamos em pleno dia; não havia onde me esconder. Ouvi a minha mãe implorando. Uma parte de mim queria ir até o andar de cima, onde estavam meus outros irmãos, mas eu não consegui. Eu tinha dezesseis anos naquela época. Não poderia mais fingir que nada estava acontecendo.

Caminhei até a cozinha. A mesa e as cadeiras, relativamente novas – pois substituíram as que meu pai havia destruído –, estavam em pedaços novamente. Minha mãe estava caída no chão, curvada como uma bola. O meu pai estava chutando-a.

Algo me ocorreu. Em outros momentos eu já havia tentando pôr fim às discussões entre os meus pais e gritado com o meu pai para que ele deixasse de atormentar Frank, mas aquilo era diferente. Corri até ele e comecei a socá-lo com os punhos cerrados, pedindo que ele parasse. Com apenas um braço, ele me afastou e me atirou contra a parede. Em seguida, continuou chutando a minha mãe.

Surpreendi-me ao perceber que imediatamente fiquei de pé. Não sabia se havia me machucado, tampouco me importei. Estava tomada pela adrenalina. Fui em direção ao meu pai novamente e fechei a mão. Pus o punho no rosto dele e o mantive ali, a poucos centímetros de distância do seu nariz, e gritei com ele o mais alto que pude. Minha mãe implorou que eu saísse dali e que a deixasse sozinha. Eu sabia que ela não queria que o meu pai me batesse também. Mas me mantive firme e segurei o punho no rosto dele, dominada por uma raiva terrível.

– Pare ou eu chamo a polícia! – eu gritei. – Pare agora ou mando prenderem você!

Não sei dizer se foi a minha raiva ou o eco da raiva dele que fez aquilo. Não sei se meu pai percebeu a ausência de medo no meu rosto, ou se foi a ameaça de chamar a polícia. Certamente era a primeira vez que um de nós o ameaçava daquela maneira. Fosse o que fosse, funcionou. Meu pai parou de chutar a minha mãe e calou-se. Todo o seu poder se esgotou. Ele deixou cair os ombros e ficou ali, inofensivo, com uma aparência confusa e derrotada. Finalmente ele se afastou e eu fui até a minha mãe. Logo vieram Annette, Nancy, Frank e até mesmo o pequeno Steven. Sentamo-nos em meio aos destroços da cozinha junto à nossa mãe, vendo-a chorar. Mais tarde, naquele mesmo dia, ela própria foi ao hospital de carro.

Ela tinha uma dúzia de contusões e três costelas quebradas.

Eles enfaixaram os ferimentos e mandaram-na de volta para casa, sem fazer uma pergunta sequer.

Com o tempo, as contusões da minha mãe sararam. Depois daquele acontecimento, ela não deixou o meu pai e nunca o deixaria. Mas, para mim, algo mudou desde aquele dia. Agora que eu o havia enfrentado, havia algo diferente. Era como se eu tivesse encontrado uma arma que poderia usar contra ele. Foi como se, pela primeira vez, eu tivesse encontrado uma saída.

De diferentes maneiras, aquele foi o dia em que eu cresci e tornei-me adulta.

capítulo 12

um olhar de fora para dentro

Pouco tempo depois do nosso Dia de Ação de Graças juntos, eu perguntei a Maurice o que ele geralmente fazia no Natal.

– Nada – ele respondeu, e deu de ombros.

– Como assim? Você não comemora o Natal?

– Não.

Insisti no assunto e Maurice me disse que sua família geralmente não fazia nada especial no Natal. Ele lembrou-se de algumas vezes em que sua mãe cozinhou algo especial na época das festas, mas Maurice havia passado o último Natal sozinho no Exército de Salvação. Comeu a refeição que lhe ofereceram e um funcionário o levou até a um contentor repleto de brinquedos para meninos pobres. Maurice escolheu um urso de pelúcia branco.

Aquilo era o mais próximo que ele havia chegado de uma celebração de Natal.

Perguntei a ele se gostaria de passar o Natal comigo e com a minha família. Sem hesitar, ele respondeu que sim e mostrou-me um grande sorriso.

No sábado antes do Natal, Maurice e eu saímos para comprar uma árvore. Escolhemos uma muito jeitosa, de um vendedor de rua, e a levamos para casa. Busquei os meus enfeites: penduricalhos vermelhos em formato de maçãs, fita dourada e luzes coloridas. Coloquei para tocar um CD com músicas de Natal e nós tomamos chocolate quente enquanto enfeitávamos a árvore.

Depois que terminamos de decorá-la, jantamos e, claro, preparamos os nossos biscoitos. Então, entreguei a Maurice um pedaço de papel e pedi a ele que escrevesse o que gostaria que o Papai Noel lhe trouxesse naquele ano.

– Papai Noel não existe – ele afirmou, rindo.

– Talvez não – eu disse –, mas ainda assim você tem que preparar uma lista para ele.

Maurice rabiscou qualquer coisa. No topo da lista, escreveu: *carrinho de controle remoto.*

Em seguida, perguntou-me se poderia ficar um pouco ali sentado, observando a árvore. Apaguei as luzes do apartamento e, ainda com a música de Natal tocando, sentamos no sofá e observamos a árvore, sem dizer uma palavra. Permanecemos ali sentados, com as luzes das lâmpadas coloridas iluminando o nosso rosto, durante muito tempo. Até que Maurice falou:

– Obrigado por fazer o meu Natal tão bonito – ele disse. – As crianças como eu... a gente sabe de tudo que se passa por aí. Nós vemos na TV. Mas vemos sempre de fora para dentro. Sabemos de coisas sobre o Natal, mas também sabemos que nunca vamos ter tudo aquilo e por isso não pensamos nisso.

Mais uma vez fiquei espantada com a sabedoria de Maurice, dadas as circunstâncias em que ele vivia. Ele ainda era muito jovem, mas tinha uma visão muito bem definida da vida, uma perspectiva desenvolvida em razão da sua experiência. Sabia com precisão qual era o seu lugar na sociedade. Maurice podia não saber assoar o nariz, mas compreendia o mundo de maneira muito melhor do que muitas pessoas com o dobro da sua idade.

~

Poucos dias depois, na véspera do Natal, Maurice veio até meu apartamento. Minha irmã Nancy, que morava sozinha a cerca de trinta quarteirões da minha casa, também estava lá. Ela conhecera

Maurice e gostava de verdade da companhia dele. Quando Maurice chegou ao meu apartamento, ele viu dez ou doze presentes embrulhados embaixo da árvore e seus olhos brilharam. Deve ter imaginado que pelo menos alguns daqueles presentes eram para ele. Tivemos um excelente jantar e depois sentamos próximos à árvore, novamente ao som de músicas de Natal. Pedi que Maurice abrisse os seus presentes. Sabia que ele precisava de algumas coisas básicas – meias, camisetas, cuecas, luvas, chapéu, casaco, coisas do gênero. Ao longo dos meses, desde que o conheci, preocupei-me em não comprar nada que ele realmente não precisasse; eu não queria ser a "madame rica" que lhe dava coisas. Mas Maurice nunca havia celebrado o Natal, e aquela era uma excelente oportunidade para mimá-lo. Entre seus presentes de Natal, havia muitas roupas, mas além disso eu lhe entreguei um presente especial naquela noite.

Maurice desembrulhou a caixa cuidadosamente. Ele deu um pequeno grito quando viu o carrinho de controle remoto. Nancy e ele brincavam enquanto eu terminava de preparar o jantar e Maurice me perguntou se poderia levar o seu mais novo presente para a casa de Annette; assim ele e Derek poderiam brincar juntos.

Por mais estranho que possa parecer, aquele era o primeiro presente – devidamente embrulhado – que ele havia recebido.

Maurice e Nancy voltaram à minha casa pela manhã, no dia de Natal, e fomos de carro até a casa de Annette. Quando chegamos lá, Maurice não pôde acreditar no tamanho da árvore de Annette – provavelmente duas vezes maior que a minha. Embaixo dela havia milhões de presentes fascinantes, ou pelo menos era o que parecia. Annette adorava decorar a casa para as festas: flores, uma manjedoura, enfeites por toda a parte. Maurice observava a casa, deslumbrado. Logo chegou a hora de nos reunirmos na sala de estar para abrirmos os presentes. Todos tinham um para Maurice, inclusive minhas sobrinhas e sobrinho. Eu havia ajudado Maurice a escolher presentes para eles também. As crianças quase se perderam em meio ao turbilhão de papéis de presente, mas pude ver que Maurice ganhou camisetas, roupas íntimas, um chapéu, luvas, um casaco e até uma camisa da Tommy Hilfiger, que o deixou absolutamente surpreso. Também ganhou uma bola de basquete, um par de tênis e muitos outros pequenos presentes. Maurice não conseguia acreditar que tudo aquilo era para ele.

Então ele mostrou a Derek seu carrinho de controle remoto e os dois começaram a brincar com ele, correndo para cima e para baixo pelos corredores, dentro e fora da sala de TV. Acho que eu nunca havia visto e apreciado uma criança se divertindo tanto. Sentados àquela mesa enorme da qual Maurice gostava tanto, todos nós demos as mãos e agradecemos. Após o jantar, Annette nos entregou letras de músicas e todos nós cantamos canções de Natal enquanto Steven nos acompanhava tocando órgão – o mesmo órgão que ele tocava antigamente para minha mãe. Não sei se foi pela presença de Maurice, mas foi o Natal mais bonito e mais caloroso que tivemos em família.

Quando já estava ficando tarde, Nancy e eu ajudamos Maurice a carregar os seus presentes, nos despedimos da nossa família e pegamos a estrada de volta a Manhattan. Maurice me perguntou se poderia deixar o seu carrinho de controle remoto e os outros brinquedos no meu apartamento. Ele me disse que queria deixá-los lá para brincar quando viesse me visitar, mas eu sabia que ele tinha medo de que alguém os roubasse caso ele os levasse para o Bryant. Naquela noite, os únicos presentes que ele levou foram um casaco e algumas outras roupas. Maurice também levou consigo uma sacola com roupas usadas para suas irmãs e um pouco de comida que Annette havia embalado para ele. Ele nunca tivera um Natal como aquele e ele queria levar às suas irmãs um pouco de tudo aquilo.

Quando Maurice foi embora, olhei para o meu sofá, onde eu deixei o maravilhoso presente que ele havia me dado. Quando entrou no meu apartamento mais cedo, naquele mesmo dia, ele timidamente me entregou o presente, dizendo em voz baixa:

– Feliz Natal, dona Laura.

Fui até o sofá com o presente sobre as minhas mãos e olhei para a árvore de Natal que havíamos enfeitado.

O meu presente era a única coisa que Maurice poderia me dar: o urso de pelúcia branco que ele pegara no Exército de Salvação.

Sentada em meu sofá, comecei a pensar sobre o que o Natal significava para Maurice, bem como para mim. Ele passou aquele Natal na companhia de uma família que não era a sua – o que era triste de se pensar –, mas esteve com pessoas que se preocuparam e que até mesmo demonstraram amor por ele – o que era ótimo. Dessa vez, ele não precisou ir ao Exército de Salvação. Em vez disso, ele pôde ver o que era uma família feliz e unida. Refleti sobre a impressão que Maurice teve da família da minha irmã e não pude deixar de pensar que Annette estava realizando o sonho que eu e ela tínhamos quando éramos garotas. Por muitas noites, conversávamos sobre como as nossas famílias seriam – o tipo de casa em que viveríamos, qual seria a profissão dos nossos maridos e em que tipo de escola nossos filhos estudariam. Para nós, sonhar com as nossas futuras famílias e desejar que houvesse amor e segurança em nossos lares era mais que um simples sonho de garota: era uma questão de sobrevivência. Era a única maneira de corrigir o que estava errado na nossa própria infância, a única maneira de reverter tudo pelo que passávamos. Não era meramente algo que desejávamos; era algo de que *precisávamos.*

Então, naquele Natal, pensei sobre como Annette havia transformado nosso sonho em realidade. E pensei sobre o meu próprio sonho, e o desejo de ter um marido amoroso, lindos filhos e uma casa grande no subúrbio. Lá estava eu, 36 anos, ainda solteira, ainda sozinha. Por que o meu sonho não se tornara realidade? Por que eu ainda não me tornara esposa e mãe? A verdade é que não foi por falta de tentativas.

Logo quando conheci Maurice, ele me perguntou se eu tinha filhos e respondi que não. Era verdade. Mas havia algo que eu não contei a ele, algo que eu não contava para a maioria das pessoas.

Não contei a ele que eu já havia me casado.

~

Conheci Kevin na estação de trem de Long Island. Eu tinha vinte anos, trabalhava na Icelandic Airlines e ainda morava com os meus pais. Devo dizer que Kevin não era o seu nome verdadeiro; criei esse pseudônimo para preservar sua identidade. Vi Kevin na plataforma enquanto aguardava o trem. Ele era incrivelmente bonito, tinha os cabelos castanhos claros, os olhos também eram castanhos claros e profundos. Kevin tinha um tipo de autoconfiança que o tornava extremamente atraente. Trocamos alguns olhares e depois de um tempo fizemos um sinal com a cabeça e nos cumprimentamos:

– Olá.

Naquela noite, o trem atrasou e, enquanto esperávamos, nos sentamos e começamos a conversar.

A química entre nós foi instantânea. Descobri que ele morava com a família em uma charmosa cidade de Long Island, a meia hora de distância de onde eu cresci. Ele trabalhava com o pai, que tinha a própria empresa na cidade. Pouco tempo depois da nossa primeira conversa, Kevin me convidou para jantar e fomos a um restaurante em Manhattan. Preocupei-me em observar apenas uma coisa: o quanto ele bebia. Annette, Nancy e eu concordávamos que jamais namoraríamos alguém que bebesse demais. Se Kevin ingerisse a sua bebida rápido demais ou demonstrasse qualquer outro sinal de problemas com o álcool, provavelmente eu teria ido embora.

Porém, nosso encontro foi maravilhoso e nos apaixonamos rapidamente. Kevin me convidou para conhecer os seus pais e fiquei impressionada em ver o quão amáveis e carinhosos eles eram. Eles pareciam tão calmos, tão centrados, pessoas completamente normais. A família era razoavelmente rica e da alta sociedade; ainda assim me tratavam muito bem e eu não pude evitar de me apegar a eles. Lembro-me de ter visto o pai de Kevin sair para passear com o cachorro. Na minha família sempre houve cachorros e costumávamos deixá-los correr pelo jardim. Mas ali estava o pai de Kevin, caminhando com o seu *weimaraner* preso a uma coleira. Para mim, aquela coleira significava muita coisa – ela mantinha o pai de Kevin *amarrado* não apenas ao seu cachorro, como também à sua família. A coleira demonstrava vínculo, proteção, coisas que eram estranhas para mim. Acho que me apaixonei pela família de Kevin – e até mesmo por Kevin – naquele lugar e naquele momento.

Kevin e eu nos casamos em uma cerimônia da qual, para ser sincera, não me lembro muito bem. Porém, lembro-me claramente que eu estava feliz porque finalmente estava realizando o sonho de ter a minha própria família. Logo no início do nosso casamento, Kevin me disse que gostaria de deixar os negócios da família para seguir a sua própria carreira. Concordei plenamente e inclusive o ajudei a conseguir uma entrevista de emprego para um cargo de consultor – ele visitaria empresas para analisar a infraestrutura corporativa e sugerir melhorias. Kevin era muito inteligente e conseguiu o emprego imediatamente. Ele tinha um bom salário e, juntando nossas rendas, tínhamos mais do que o suficiente para alugar um bom apartamento na Forest Hills, no Queens. O lado negativo era que Kevin ficaria fora de casa de segunda à sexta-feira, o que é complicado para qualquer casal, sobretudo para recém-casados como nós. Mas eu sabia que ele desejava muito aquele trabalho, então tentei fazer o meu melhor. Descobri que esse é um tipo de sacrifício que casais modernos têm de fazer. Disse a ele que cuidaria de todas as tarefas da casa – compras, cozinha, limpeza – para que assim, quando nos encontrássemos na sexta à noite, pudéssemos passar cada minuto do nosso fim de semana nos divertindo.

Após um ano trabalhando como consultor, Kevin foi transferido para uma empresa na Carolina do Sul. Eu estava torcendo para que ele fosse transferido para algum lugar mais próximo, talvez até perto o bastante para que ele pudesse voltar para casa durante a semana. Queria que nós começássemos a planejar ter um bebê, mas eu sabia que teríamos de esperar até que ele trabalhasse mais perto de casa. Disse a mim mesma que tudo ficaria bem. Apesar de tudo, eu tinha todos os motivos para me manter otimista.

Até que, certa sexta-feira à noite, quando fui buscar Kevin no aeroporto, notei que ele não olhou para mim. Nenhum olhar, aceno, nada. Tive a sensação de que algo muito errado estava acontecendo. Então perguntei:

– Qual é o problema? Por que você não olha para mim?

– Por que você está pegando no meu pé? – ele respondeu.

Depois disso, Kevin começou a mudar. Falávamos muito pouco ao telefone, e quando falávamos, era por pouco tempo. Ele tinha cada vez menos interesse em fazer sexo, até o ponto que não mantínhamos mais relações. Fomos à praia um fim de semana e eu percebi que ele não estava usando sua aliança. Ele me disse que tinha brincado com ela no mar e que ela caíra na água. Fiquei chocada ao vê-lo agir como se fosse algo sem importância alguma.

Estávamos casados há pouco mais de dois anos quando decidimos viajar para Aruba nas férias. No nosso primeiro jantar, ele trouxe um livro para ler no restaurante. Novamente, fiquei chocada. Ele estava realmente mais interessado em ler um livro do que conversar comigo?

– Você está brincando? – eu perguntei. – Não nos vemos há uma semana e você vai ficar aí sentado lendo esse livro?

Ele não tinha uma explicação para o livro nem para coisa alguma; apenas estava cada vez mais distante. Eu sabia que havia algo errado; só não sabia exatamente o que era. Kevin finalmente abriu o jogo certa noite, quando me ligou da Carolina do Sul:

– Estou muito confuso – disse.

– Em relação a quê?

– Estou confuso – ele repetiu. – Preciso de um tempo para pensar.

– Kevin, venha para casa. Sei que algo está acontecendo com você, mas seja lá o que for, venha para casa e resolveremos o problema juntos.

– Eu só preciso de um tempo – ele disse novamente. – Vou ficar aqui neste fim de semana.

Aquele foi o primeiro fim de semana que Kevin não voltou da Carolina do Sul.

Não conseguia acreditar que ele não viria para casa, e o pior de tudo, não fazia ideia de qual era o motivo. No sábado, liguei para ele, no hotel onde estava hospedado, e a recepcionista me disse que ele havia feito o *checkout*. Isso aconteceu muito antes da era dos celulares, então não havia como localizá-lo. Tudo o que eu poderia fazer era sentar, esperar e refletir sobre o que estava acontecendo.

Finalmente, ele me ligou no domingo à noite.

– Você é jovem e linda e você tem uma grande personalidade – disse ele –, mas eu não te amo e eu quero me divorciar.

Kevin terminou o nosso casamento por telefone.

A minha reação àquele telefonema foi pura histeria. Aquilo era demais para a minha cabeça. Meu sonho havia se tornado realidade, e agora tudo acabaria assim? Eu me recusava a acreditar que não havia uma maneira de consertar isso. Depois daquela última ligação, Kevin não me passou um número de telefone em que eu pudesse localizá-lo e também parou de me telefonar. Seus pais me disseram que ele pedira para eu lhe enviar suas roupas, livros e os tacos de golfe; nada mais da nossa vida juntos lhe interessava. Fiquei muito mal, acho que por um mês estive próxima ao estado da catatonia; chorava sem parar, procurava apoio com a minha mãe e perguntava incansavelmente aos pais dele o que poderia ter acontecido de errado. Eles não tinham uma resposta para me dar; juravam que estavam tão chocados quanto eu.

Nunca, nem mesmo por um instante, considerei a possibilidade de que Kevin tivesse uma amante.

Por fim, após três longos dias sem nenhuma notícia dele, embalei todas as nossas coisas e as coloquei em um armazém. Voltei para a casa dos meus pais alguns dias depois. Todos os meus amigos aconselharam-me a procurar um advogado especializado em divórcio e, relutantemente, foi o que fiz. Foi esse advogado, Richard Creditor, que ouviu a minha história, olhou nos meus olhos e disse:

– Sra. Schroff, sei que está no meio de um furacão e detesto ter de ser eu quem lhe dirá isso, mas seu marido tem uma amante.

– Impossível. Kevin jamais faria isso. Ele não é esse tipo de homem.

– Como disse, odeio ter de lhe dizer isso, mas seu marido tem outra pessoa. Já tratei de divórcios de muitos homens como ele.

Ainda não conseguia acreditar que aquilo fosse verdade, então o Senhor Creditor me convenceu a contratar um detetive. Dei-lhe a única informação de que dispunha: uma caixa postal na Carolina do Sul onde Kevin recebia suas correspondências. O detetive fez a sua investigação e voltou com a prova: uma foto. Kevin tinha outra mulher: eu tinha sido substituída. O telefonema de Kevin dizendo "quero o divórcio" fora terrível, mas aquela informação foi absolutamente arrasadora. Foi como um golpe no peito. Destruiu um pedaço de mim que jamais poderia se recompor.

Mergulhei em profundezas que eu sequer sabia que existiam, definhando durante semanas em um estado de grande tumulto emocional. Para mim, ter uma família não era apenas um desejo; era algo que me *salvaria*. Era a minha única resposta para o desassossego causado pela crueldade do meu pai, a minha única chance de ser feliz como eu jamais fora na infância. E agora, em um instante, essa felicidade havia escapado de mim. Eu tinha 23 anos e senti como se a minha vida tivesse chegado ao fim.

Minha mãe pediu que eu procurasse o padre da nossa família, e ele, um senhor muito gentil, me disse que o meu casamento poderia ser anulado. Explicou-me que a anulação consistia em retirar o nosso casamento dos livros e que me permitiria seguir a minha vida e casar-me novamente na igreja católica, no futuro. Mas eu vi aquilo por uma perspectiva diferente.

– O senhor quer que eu acredite que o meu casamento nunca existiu? – eu disse. – O senhor quer que eu finja que Kevin não me fez nada?

Passei a minha vida inteira fingindo que os ataques de fúria do meu pai nunca aconteceram, fingindo que ele não havia destruído a cozinha, que ele não havia esmurrado a minha mãe, que ele não atormentava meu irmão Frank. Simplesmente não aguentava mais fingir. Eu não poderia me livrar disso simplesmente escondendo o fato debaixo das cobertas.

– Não, padre, eu não vou fingir que isso não aconteceu. Algo aconteceu e aconteceu comigo.

Pedi o divórcio. O Senhor Creditor, que simpatizou comigo e criou um profundo desgosto por Kevin, me prometeu que exigiria dele tudo que era de direito. Eu não me importava com o dinheiro e, de qualquer forma, nós não tínhamos muito. Por fim, em uma conversa por telefone, questionei Kevin a respeito de sua amante. Foi a pior conversa que tive em toda a minha vida. Desliguei o telefone e fiquei em luto por tudo o que eu havia perdido. Continuei assim pelos próximos dias, meses e anos.

Ao olhar para trás, imagino que mergulhei no casamento de maneira muito inocente, precoce, motivada muito mais por um sonho do que por um homem. Tenho certeza de que amava Kevin e o amava profundamente, mas será que o amor, por si só, é o suficiente? Será que eu estava tão determinada em fugir do meu pai e da minha família que fechei os olhos para o que eu realmente deveria ter visto? Não estou dizendo que eu não fui enganada – claro que fui. Agora sei que Kevin é o tipo de pessoa que toma decisões erradas, uma atrás da outra, e o nosso casamento, infelizmente, foi apenas mais uma delas. Mas tenho de ser honesta e admitir que a bagagem que eu trouxe para a relação também colaborou para o fim do nosso casamento.

Ainda assim, eu tinha apenas 23 anos. Tinha muitos anos à minha frente para tentar realizar o meu sonho e eu poderia ter superado o fracasso do meu casamento, se algo além disso não tivesse acontecido.

O divórcio abalou a minha fé nas pessoas e no amor.

Mas o outro acontecimento partiu meu coração.

capítulo 13

um milagre agridoce

No mesmo fim de semana em que Kevin me telefonou dizendo que queria o divórcio, minha mãe soube que estava com reincidência do câncer uterino que tivera dois anos antes. O médico queria que ela fosse para o hospital imediatamente para realizar mais exames, mas depois de conversar comigo e saber sobre Kevin, minha mãe se recusou a ir. Ela insistiu que eu voltasse para casa para que ela pudesse me consolar, e foi exatamente isso que fiz.

Somente algumas semanas depois minha mãe me contou que estava doente. Para mim, ela não parecia muito doente ou debilitada, mas pelo que os médicos diziam, eu sabia que ela não estava bem. Na primeira ocorrência, nós ficamos aterrorizados com a ideia de que o câncer a levaria, e rezamos muito pedindo para que ela pudesse superá-lo. Como era uma mulher forte, minha mãe resistiu à dor e ao sofrimento e, por isso, sobreviveu. Creio que ela lutou com tamanha coragem por causa de seus filhos. Naquela época, Annette e eu já tínhamos saído de casa, mas Frank, Nancy e Steven ainda viviam com meus pais. Minha mãe não queria abandoná-los e deixá-los na companhia do meu pai. Ela lutou bravamente para assegurar que isso não acontecesse.

Agora o câncer havia voltado e nos preparamos para uma nova luta, longa e difícil. Decidi permanecer em casa por um tempo para acompanhar minha mãe. Foi uma decisão difícil para mim – estava disposta a fazer de tudo pela minha mãe, mas não queria ficar perto do meu pai. Já o tinha deixado para trás, já o tinha afastado da minha vida. Lidei com ele de maneira mais dura e definitiva do que qualquer um dos meus irmãos que, entre idas e vindas, desejavam que ele desaparecesse e depois o perdoavam pelo amor que sentiam por ele. Mas eu não vacilava assim – amava o meu pai, mas me recusava a tolerá-lo. Estava muito magoada com a forma como ele tratava Frank e pela maneira cruel como se relacionava com a minha mãe. Não suportava mais presenciar tudo aquilo.

Por isso, apenas alguns meses após voltar para a casa dos meus pais, mudei-me novamente. Aluguei um apartamento em Manhattan, na East 83rd Street. Minha mãe ainda estava muito doente e lembro-me que algumas pessoas não acreditaram quando saí de casa daquela forma. Mas senti que eu não tinha outra escolha.

Não muito tempo depois, o estado da minha mãe se agravou e meu pai a internou no Hospital Memorial Sloan-Kettering em Manhattan, a alguns quarteirões do meu apartamento. Descobri algum tempo depois que foi meu pai quem pesquisou e escolheu esse hospital – um dos melhores do país –, levou minha mãe até lá e passou a visitá-la *todos os dias*. Ele lhe fazia companhia por mais ou menos uma hora – era inquieto demais para ficar parado mais tempo que isso –, mas ia todos os dias, sem exceção. Beijava a minha mãe na testa, segurava sua mão, assistia TV com ela e, aos finais de semana, trazia Nancy ou Steven para passar um tempo com ela. Então meu pai ficava muito impaciente, se despedia e ia embora. Percebo agora que aquilo era o máximo que ele era capaz de fazer. Ele a amava verdadeiramente, e quando ela adoeceu, ele ficou chocado com a ideia de perdê-la. Essa foi a tragédia da vida dele. Meu pai não parou de beber, mas o medo o fez diminuir as doses. Ele não podia mudar quem ele era, mas pelo menos estava tentando.

Eu visitava a minha mãe todas as noites depois que saía do trabalho. Ficávamos muito tempo juntas apenas conversando, e aquelas noites com ela eram muito especiais. Conversávamos sobre o que Kevin havia feito comigo, o que meu pai havia feito com ela, e sobre como as mulheres da nossa família tinham de ser fortes para se relacionarem com homens de difícil personalidade. Ela me disse que não conseguia entender por que Deus permitiu que eu me machucasse tanto, mas acrescentou que Deus jamais me daria um fardo maior do que eu poderia suportar.

– Laurie, eu sei que tudo isso está sendo muito doloroso– ela disse –, mas você precisa saber que você tem força para enfrentar esta situação; nunca se esqueça disso.

Comecei a perceber que eu herdara parte do espírito de sobrevivência da minha mãe.

Ela estava tomando metadona para aliviar a dor, que ficava cada vez pior. Dr. Ochoa, o oncologista que a estava tratando, ensinou a mim e a Annette como injetar o medicamento em nossa mãe. Ele trouxe uma seringa e treinamos a aplicação em uma laranja. Ele fazia parecer fácil, mas eu não suportava agulhas. Porém, com o passar do tempo, passei a me habituar com elas, e injetar metadona na veia da minha mãe tornou-se uma parte da nossa rotina.

Percebi que o estado de saúde dela não evoluía, e foi então que comecei a negociar com ela:

– Você tem de melhorar... Você não pode nos deixar sozinhos com o nosso pai. Você se casou com ele e não conseguimos lidar com ele sozinhos. E, além disso, o pai precisa muito de você. Todos nós precisamos.

A verdade é que eu não deveria ter implorado daquela maneira. Sabia que ela estava lutando com todas as suas forças.

Certa noite, quando ela estava com muita dor, saí do quarto e fui conversar com dr. Ochoa.

– Ela está piorando e também está com muito medo. O que podemos fazer?

Dr. Ochoa me disse que era a vontade da minha mãe que estava mantendo-a viva. O que ela precisava, ele disse, era de alguém que lhe dissesse que ficaríamos bem sem ela, que estava tudo bem. Não pude acreditar no que ele estava dizendo. Ele queria que eu autorizasse minha mãe a morrer? Como eu poderia dizer aquilo para ela? O que eu poderia dizer?

Dr. Ochoa pôs a mão sobre o meu ombro e disse:

– No momento certo, você saberá o que deve dizer.

– Mas, doutor, como vou saber que chegou a hora? Como posso dizer isso?

– Quando a hora chegar – ele disse – você saberá.

Alguns dias depois, o câncer se espalhou tanto que começou a romper a pele do estômago. A princípio era apenas uma pequena bolha azul escura, que começou a se multiplicar e, em algumas semanas, várias bolhas cobriram todo o seu estômago e a parte inferior do corpo. Certa noite, minha mãe agarrou a minha mão e me olhou com os olhos tristes, pesados.

– Laurie, eu não vou melhorar. Meu câncer está muito avançado.

Segurei sua mão com força. Senti que a fala dela era, na verdade, uma pergunta: "Eu vou melhorar ou vou morrer?". Minha mãe estava apavorada.

Então, como dr. Ochoa havia previsto, eu sabia exatamente o que dizer.

– Mãe, você se lembra o que me falou quando eu estava muito chateada por causa do Kevin? Você me disse que Deus nunca nos dá um fardo maior do que podemos suportar. Você precisa acreditar nisso agora. Deus vai tirar isso de você muito em breve e então você nunca mais sentirá dor.

Minha mãe deu um sorriso triste e ficamos de mãos dadas, sem dizer mais nada. Era tarde e eu tinha que trabalhar no dia seguinte, então levantei para ir embora. Quando me inclinei para lhe dar um beijo de boa-noite, ela olhou para mim e disse:

– Obrigada, Laurie. Eu te amo muito.

~

Decidimos trazer minha mãe de volta para casa e passamos a cuidar dela lá. Enchemos os armários da lavanderia com pacotes grandes de metadona e agulhas, e mostrei a Nancy como aplicar o medicamento. Até meu pai treinou usando uma laranja, mas ele era impaciente demais para aplicar do jeito certo. Minha mãe tinha recebido tantas injeções no ano anterior que ficava cada vez mais difícil encontrar um espaço nos seus braços ou nas pernas que não estivesse machucado. Fizemos o melhor que podíamos e tentamos proporcionar a ela o maior conforto possível.

Novamente, decidi ficar em casa com minha mãe e cruzar a cidade para ir ao trabalho. Naquela época, Frank estava a serviço da Marinha e não havíamos contado a ele sobre o estado de saúde dela. Quando finalmente ligamos para ele e combinamos a sua volta para casa, ele ficou chocado ao ver como ela estava. Continuei pensando sobre o que o dr. Ochoa havia me dito – que eu saberia quando chegasse a hora de minha mãe partir. Eu queria estar com ela quando esse momento chegasse – não, eu *precisava* estar com ela. E foi o que fiz.

Então, por volta das dez da noite de uma quinta-feira, depois de acordar de um sono profundo, minha mãe me pediu que chamasse Steven.

– Quero que ele toque órgão para mim, como ele sempre fez – ela pediu.

Sentamos próximos à minha mãe enquanto Steven, vestindo um pijama listrado, tocou algumas músicas que ela adorava ouvir: *Please Release Me*, *Spanish Eyes* e outras músicas de Engelbert Humperdinck. Ele tocou por uma hora sem parar. Finalmente ela disse que estava pronta para dormir. Apliquei o medicamento, ela fechou os olhos e, na cadeira reclinável que havia se tornado a sua cama, ela adormeceu.

O dia seguinte era meu aniversário: eu fazia 25 anos. Senti que a partida da minha mãe estava próxima, mas fui trabalhar. Durante a viagem de trem, ouvia dr. Ochoa dizer: "Você saberá". Cheguei ao escritório e comecei a trabalhar, mas depois de dez minutos eu sabia que tinha de voltar para casa. Peguei o trem de volta e encontrei minha mãe em um sono extremamente profundo. Havia visto ela dormindo muitas outras vezes, mas aquilo parecia muito mais sério. Ao olhar para ela, percebi que ela não estava apenas dormindo. Meu irmão Steven, que tinha apenas treze anos, sentiu o que estava acontecendo e me perguntou se eu poderia ficar com a nossa mãe na sala de TV onde havíamos colocado a cadeira dela. Percebi que nenhum de nós havia de fato sentado com Steven e contado a ele a terrível verdade a respeito da nossa mãe, então eu o levei para fora, sentamos na calçada e conversamos.

– Steven, a mamãe está muito doente, e ela vai morar no céu muito em breve. Você precisa se preparar para isso. Todos nós precisamos.

Steven chorou. Muito. Coloquei o meu braço em volta dele e o abracei. Ele me disse que queria ficar perto da nossa mãe e não no seu quarto no andar de cima, então preparei uma cama para ele na sala de estar, bem próximo à sala de TV. À noite, ele tentou ficar acordado o máximo que pôde, até que finalmente caiu no sono. Meu pai não estava trabalhando naquela noite, mas não suportava ver a minha mãe naquele estado, então saiu para beber. Nossa casa estava estranhamente silenciosa. Certo momento, minha mãe acordou, olhou para mim e pegou a minha mão.

– Me sinto estranha – ela disse. – Por favor, não me deixe. Não quero ficar sozinha hoje.

Prometi a ela que não a deixaria sozinha nem por um minuto.

Nancy e eu nos revezávamos para lhe fazer companhia. Por volta das três da manhã, fui ao quarto de Nancy acordá-la e pedi que ela ficasse com nossa mãe.

– Não durma – eu disse a ela. – Você tem de ficar acordada para observá-la. Eu só preciso tirar um cochilo.

Nancy, que tinha apenas dezessete anos, me prometeu que ficaria acordada. Meu pai já havia chegado em casa, bêbado, porém sem forças para causar qualquer tipo de problema; ele chegou e foi direto para a cama. Cochilei um pouco no quarto de Nancy, que não ficava muito distante da sala de TV. Às cinco da manhã, escutei um grito. Era a voz de Nancy. Corri até a sala de TV onde Nancy estava de pé diante da nossa mãe, tentando fazê-la falar. Minha mãe estava lá, deitada e respirando, porém não respondia. Ela estava em coma.

Chamamos uma ambulância. Alguns minutos antes que os paramédicos chegassem, minha mãe acordou, chorando. Disse a ela que a levaríamos para o hospital para que ela pudesse respirar melhor. Não sabia o que dizer para acalmá-la.

– Não quero ir – disse ela. – Se eu for, nunca mais vou voltar para casa.

Uma equipe do atendimento de emergência chegou com uma maca grande e parou ao lado de Steven, que estava dormindo em sua cama improvisada a apenas alguns metros de distância. Mesmo com todo o barulho das sirenes e a movimentação, ele não se moveu; continuou dormindo. Fiquei aliviada, pois não seria bom para ele ver o que estava acontecendo. Eu acredito que Deus o protegeu de ver aquela triste cena.

Meu pai também não acordou. Decidimos não chamá-lo por medo de que ele tornasse as coisas ainda piores.

Encontramos Annette e fomos ao Hospital Sloan-Kettering, sem o nosso pai. O dr. Ochoa estava lá e nos perguntou se queríamos chamar um padre. Assistimos a nossa mãe recebendo a extrema-unção na sala de emergência. Ela lutava para respirar, até que não conseguiu mais. Dr. Ochoa olhou para ela e depois para nós.

– Ela se foi – disse ele.

Annette e eu nos abraçamos e choramos. Eu sabia que a minha mãe havia suportado tudo aquilo por muito tempo, ela havia sofrido muito. Eu deveria me sentir aliviada por ver que ela finalmente descansava em paz, mas tudo o que sentia era uma tristeza profunda e avassaladora. Senti-me triste pelo que havia sido a vida dela. Chorava por todas as dificuldades, todo o desgosto. E chorei por toda a felicidade que ela merecia e que nunca teve.

Foi então que, de repente, uma enfermeira notou algo.

– Meu Deus! – ela exclamou. – Sua mãe está viva! Fala com ela! Fala com ela!

~

A enfermeira percebeu minha mãe abrindo os olhos. Olhamos para ela e ela virou-se para nós, sorrindo calorosa e tranquilamente. Ficamos ali, imóveis, em estado de choque. Minha mãe tentou dizer algo e, a princípio, não conseguimos entender. Mas, então, como se um botão em seu cérebro tivesse sido acionado, ela falou com clareza:

– Recebi a força que eu precisava para dizer a vocês tudo o que eu sempre quis dizer, mas não consegui.

Dr. Ochoa estava tão perplexo quanto nós. A enfermeira analisou os sinais vitais de minha mãe e nos disse que eles estavam mais fortes do que nos meses anteriores. De repente, minha mãe estava totalmente lúcida e moveu os braços e as pernas como não fazia há semanas. Foi como se ela simplesmente tivesse decidido que não estava mais doente. Mais que isso, ela parecia calma e feliz; uma estranha e intensa paz a cobria. Fiquei ao lado do seu leito, beijei-a e abracei-a, chorando.

Então ela perguntou:

– Onde está o seu pai?

Eu disse a ela que ele e Steven estavam a caminho do hospital. Frank e Nancy ainda estavam em casa.

– Quero falar com todos vocês – ela disse.

Minha mãe estava completamente calma e consciente. Deixei-a a sós com Annette, para que pudessem conversar. Depois, Annette veio me chamar, chorando, e disse:

– A mãe quer falar com você.

Sentei perto dela, segurei sua mão e apenas ouvi.

– Você sempre foi uma excelente filha – disse ela. – Houve momentos em que eu não te entendi, mas sei que você é uma pessoa boa e muito forte. Laurie, eu tenho tanto orgulho de você. Eu te amo muito.

Ouvi atentamente, e as lágrimas escorriam pelo meu rosto. Minha mãe nunca tinha falado comigo daquela forma. Ela já havia dito que me amava e deve ter dito que tinha muito orgulho de mim, mas ouvi-la dizer aquilo naquele momento, daquela maneira, significou tudo para mim.

Meu pai e Steven finalmente chegaram. Minha mãe então pediu para falar com o marido.

– As crianças vão precisar de você, então, por favor, esteja presente para elas. Olhe dentro de você e encontre a coragem para ser bom com todos os nossos filhos. Por favor, tente não beber para não perder o controle. Por favor, você pode me prometer isso, Nunzie? Por favor?

E então ela disse que o amava.

Chegou a vez de Steven. Ela disse que ele era um excelente filho, e que sabia que ele cresceria e se tornaria um homem maravilhoso. Ela pediu a ele que não tivesse medo, porque o amava muito e para sempre.

– Tenho tanto orgulho de você. Você é tão inteligente e é uma criança muito especial – ela disse.

Steven a abraçou como se nunca mais fosse soltar.

Dr. Ochoa nos levou a uma sala privada, onde pudemos ficar juntos. Quando Frank e Nancy finalmente chegaram, ela pediu que eles se sentassem para conversar. Ela pediu desculpas a Frank pela maneira como meu pai o havia tratado e disse que esperava que ele a perdoasse por não tê-lo protegido como deveria. À Nancy, minha mãe pediu desculpas por ela ter deixado de lado os anos da sua adolescência para cuidar dela, e disse que era muito grata por todo o sacrifício que ela havia feito. Por fim, disse que a amava muito.

Então, minha mãe sentou-se e disse que não estava sentindo nenhuma dor. Com os olhos brilhando, ela nos contou o que aconteceu no momento em que o dr. Ochoa disse que ela estava morta.

– Eu vi o outro lado – ela disse. – É muito mais bonito e tranquilo do que podemos imaginar. Agora, em meu coração, sei que poderei cuidar de todos vocês de onde estarei. Serei capaz de olhar para baixo, ver como vocês estão e me certificar de que tudo está bem. Por favor, acreditem em mim; tudo vai ficar bem. Todos vocês vão ficar bem.

Procurei dr. Ochoa e perguntei a ele se poderíamos levar a nossa mãe para casa, afinal, eu havia prometido isso a ela.

– Não entendemos o que está acontecendo – ele disse –, mas se vocês querem levá-la para casa, podem fazer isso.

Disse então à minha mãe que poderíamos ir para casa e esperei que ela, assim como eu, se entusiasmasse com a notícia.

– Não quero ir para casa – ela disse.

– O quê? O que você quer dizer, mãe?

– Não quero ir para casa. Quero ficar aqui até chegar o momento de eu partir para a minha nova casa.

Eu fiquei completamente surpresa. Todos nós ficamos. Começamos a pensar que a recuperação imediata dela era algum tipo de milagre e que, de repente, ela estava *melhor*. Mas talvez não fosse isso que estivesse acontecendo.

Nenhum de nós sabia o que fazer, então decidimos ficar com ela no hospital. Estávamos em seu quarto quando, umas duas horas depois, ela sentou, nos olhou e disse:

– Oh, meu Deus, eu preciso ir – e então começou a falar em italiano: – *Padre, vengo a casa pronto.*

Todos nós demos as mãos e rezamos junto com ela.

– Agora, cada um de vocês me dê um beijo, diga que me ama e deixe-me partir em paz.

Depois disso, minha mãe deitou-se, fechou os olhos e entrou em coma.

Fiquei no hospital mais ou menos 24 horas. Todos voltaram no dia seguinte para vê-la, mas dessa vez ela não acordou. Meu pai e eu éramos os únicos que estavam lá quando, às cinco da manhã de uma terça-feira, uma enfermeira veio até a sala de visitas onde estávamos e pediu que a acompanhássemos. Sentamos ao lado do leito de minha mãe, cada um segurando uma de suas mãos. Observamos a respiração dela diminuindo, até que ela não respirou mais.

E então minha mãe faleceu.

Naquele momento, pensei que Deus havia sido injusto ao trazê-la de volta para depois simplesmente levá-la embora. Passamos meses e meses nos preparando para o inevitável e, quando ele aconteceu, pensamos que estávamos preparados. Em seguida, ela ressurgiu da morte, forte e saudável, e acreditamos que ela voltaria para ficar conosco. Mas ela foi levada novamente.

Claro que logo percebemos que Deus havia nos dado um presente maravilhoso. Ele deu à minha mãe a força necessária para nos dizer que tudo ficaria bem. Deus permitiu que víssemos que ela finalmente estaria em paz.

Seis meses depois de sua morte, na noite em que cortei o meu dedo antes daquela entrevista importante, sonhei com a minha mãe. Eu a vi e saí correndo para abraçá-la, e no momento do abraço ela parecia tão real, tão viva. Perguntei:

– Mãe, está me ouvindo? Eu cortei o dedo.

– Laurie, claro que eu sei.

Então eu contava a ela sobre a entrevista, sobre o quanto eu queria aquele emprego e como estava preocupada em conseguir aquela vaga.

– Laurie, não se preocupe. Você vai se sair muito bem na entrevista e vai conseguir esse trabalho. Agora, tente dormir. E durma bem.

Então ela me beijou e eu acordei chorando. Na manhã seguinte eu me senti estranhamente calma e confiante. Subitamente eu não estava mais preocupada – na verdade, eu tinha *certeza* de que conseguiria o emprego, porque minha mãe tinha me assegurado. E ela estava certa. Eu consegui o emprego.

Sinto que ela está comigo desde então, sempre ao meu lado. Eu disse que não sabia por que eu voltei à Broadway para falar com

Maurice, mas isso não é bem a verdade. Talvez eu não tivesse consciência do que estava acontecendo, mas agora não tenho a menor dúvida do que me fez voltar.

Sei que foi a minha mãe, olhando para mim lá de cima, que me conduziu a Maurice.

capítulo 14

uma receita simples

A maioria das segundas-feiras que passei com Maurice eram calmas e tranquilas. Considerando a minha infância e a dele, a quietude e a tranquilidade eram coisas boas para nós. Em nossos encontros, eu tentava ser apenas uma amiga, e não necessariamente uma mãe substituta. Eu não o atormentava com sermões para orientá-lo a seguir uma direção melhor em sua vida, mas tentava mostrar a ele o que era importante na minha vida. Sabia que era assim que ele aprenderia.

Em uma dessas segundas-feiras, decidimos preparar um bolo caseiro: chocolate com cobertura de chocolate. Peguei as vasilhas, a batedeira, um medidor e algumas outras coisas que precisaríamos. Então coloquei a receita em cima do balcão. Maurice olhou para mim e perguntou o que era aquele papel.

– É a receita do bolo – respondi. – As instruções para preparar o nosso bolo estão aqui.

Ele não entendeu. Nunca havia visto alguém preparando um bolo ou cozinhando qualquer prato com base em uma receita. Maurice não compreendia por que aquele papel era importante.

– Por que você não pode simplesmente colocar todos os ingredientes na vasilha? – perguntou.

– Porque se fizermos isso, não saberemos se o bolo vai ficar bom. Se você quer que ele fique bom, tem que colocar os ingredientes da maneira certa.

Mostrei a ele como a receita funcionava. Pedi que enchesse o copo medidor com a farinha de trigo e disse que precisávamos da medida exata – uma colher de chá – de essência de baunilha. Segui a receita à risca, explicando a Maurice cada ingrediente e enfatizando a importância das medidas exatas. Sabia que, ao fazer isso, estava ensinando a ele muito mais que uma simples receita de bolo. Ele estava aprendendo qual era a recompensa da disciplina e da dedicação. Talvez ele estivesse aprendendo também que os resultados da vida dependem exatamente do que você põe nela. Maurice bateu a massa do bolo e a levamos ao forno. Depois que o bolo assou e esfriou, colocamos a cobertura e ele lambeu o resto que ficou na lata. Admiramos a nossa criação por um momento. Então enchemos dois copos de leite e cada um cortou uma fatia grande do bolo.

Foi uma maneira deliciosa de aprender uma lição.

Certa vez, Maurice encontrou um cinzeiro no meu apartamento e perguntou-me se eu fumava. Contei a ele que fumava, mas que havia parado. Disse-lhe os motivos pelos quais ele nunca deveria fumar, beber ou usar drogas; contei o que acontecia com o cérebro e com o corpo humano quando estão sob os efeitos das drogas. Sabia que Maurice testemunhava com os seus próprios olhos o que as drogas faziam com uma pessoa; ele sabia que as drogas estavam destruindo sua mãe. Ainda assim, eu queria que ele ouvisse com todas as letras que, para viver bem e feliz, precisava se afastar desses vícios nocivos e mortais. Não preguei esses pontos; não sou o tipo que prega sermões. Mas falei com firmeza e clareza, e é possível que eu tenha sido a única pessoa adulta que tenha dito isso a ele.

Uma vez, ele me perguntou quando eu iria finalmente gastar aquelas moedas que eu guardava. Estava fascinado com aquele jarro enorme cheio de moedas e não fazia sentido para ele que elas nunca fossem gastas. Expliquei que estava poupando aquele dinheiro para usá-lo no momento certo. Esse também era um conceito novo para ele. Maurice não compreendia o propósito de economizar. Para ele, o dinheiro circulava de mão em mão e era infinito. Contei-lhe sobre a minha poupança e sobre o meu plano de comprar um carro melhor no futuro, ou talvez uma casa, ou então apenas manter o dinheiro guardado para o caso de uma emergência. Sabia que Maurice ficava desnorteado ao ver todas aquelas moedas de 10 e 25 centavos guardadas ali – milhares delas, o suficiente para comprar centenas de refeições. Imagino até que ele tenha se sentido tentado a pegar algumas. Posso afirmar com toda a certeza que ele nunca o fez; não porque eu tenha contado – ele poderia ter pegado umas cinquenta e eu jamais perceberia –, mas simplesmente porque ele sabia que o risco não valeria a pena. Aquele velho jarro de plástico cheio de moedas ensinou a Maurice a importância de economizar, mas também lhe mostrou a valiosa lição do risco versus recompensa. Ensinou-lhe a pensar *adiante*.

Às vezes falávamos sobre o futuro, tanto o meu quanto o dele. Lembro-me certa vez de ter dito a Maurice que era necessário ser centrado. Expliquei o que significava: ele precisava pensar sobre o que queria fazer, seguir a direção certa e permanecer nela independentemente das circunstâncias. Conversamos sobre como as tentações poderiam desviá-lo do caminho e atrapalhar seus planos. Falamos também sobre o que nos mantêm firmes no caminho quando estamos diante de uma adversidade: foco, coragem e perseverança. Mais uma vez, não conversei com ele como se estivesse diante de um quadro negro e com um giz na mão. Apenas respondi às perguntas dele e fiz algumas observações.

Porém, de vez em quando, eu *insistia* numa coisa: eu sempre perguntava o que ele queria ser quando crescesse. Sempre considerei muito importante que ele estabelecesse certos objetivos e tivesse um sonho. Não queria apenas que ele escolhesse algo para o seu futuro, mas também que enxergasse a realização desta meta.

Uma vez, Maurice ficou em silêncio por um bom tempo depois que perguntei qual seria a sua profissão. Creio que ele estava refletindo sobre o que queria ser.

Finalmente, respondeu:

– Quero ser policial.

Alguns anos depois, ele me contou o porquê dessa escolha. Quando era menino, foi até uma cabine telefônica e depositou 25 centavos para fazer uma ligação. A máquina engoliu a moeda, o único dinheiro que ele tinha. Maurice chutou a máquina várias vezes, frustrado. De repente, sentiu uma dor muito forte no joelho. Caiu no chão, olhou para cima e viu um policial sobre ele, segurando uma faca. O policial havia golpeado Maurice no joelho e agora ele e outro policial estavam ali de pé, rindo dele.

– A máquina engoliu a minha moeda – Maurice explicou.

Os policiais continuaram rindo. Maurice se levantou e começou a correr, mas antes olhou para a credencial dos policiais.

– Peguei o número da credencial de vocês – ele gritou enquanto corria. – Vou denunciar os dois.

Maurice sabia que, ainda que reclamasse sobre os policiais, nada aconteceria. Tinha consciência de que apenas uma coisa poderia ser feita para impedir que eles abusassem dos pobres e indefesos: tornar-se um policial.

Disse a Maurice que aquela era uma excelente ideia e que ele tinha todas as chances para transformar o seu sonho em realidade, desde que se mantivesse no caminho certo.

Em alguns de nossos encontros, Maurice sentava e fazia a sua lição da escola. Depois de certo tempo, ele passou a me visitar nas tardes de sábado, perguntando se podia apenas passar um tempo comigo. Quando eu podia, ficávamos no meu apartamento brincando com algum jogo de tabuleiro ou assistindo a TV, mas houve vezes em que eu viajava a negócios ou tinha algum outro tipo de compromisso. Nesses dias, eu deixava Maurice ficar no meu apartamento sozinho. Ele me disse que adorava esses dias, porque podia fazer tudo o que quisesse – comer, ler, assistir a um filme, tirar um cochilo – e ninguém o incomodaria. Aqueles momentos eram os únicos em que ele tinha uma casa de verdade, com comida, água e eletricidade, tudo ao seu dispor.

Algumas vezes fomos ao shopping para comprar roupas. Preocupava-me em não comprar coisas demais para Maurice, e nunca lhe dei nada muito chamativo, exceto no Natal. Comprava apenas o que ele precisava e quando precisava. Na maioria das segundas-feiras saíamos para comprar peito de peru, rosbife e os outros frios que eu usava para preparar os sanduíches que eu deixaria com o porteiro do prédio durante a semana. Tentava preparar cada sanduíche o mais nutritivo possível, porque sabia que muito provavelmente seria a única refeição que ele faria durante o dia todo. Deixava também uma fruta, uma compota de maçã ou picles e nunca esquecia os biscoitos frescos, a parte que ele mais gostava. Certificava-me de colocar o almoço dele sempre em um saco de papel marrom, como ele havia me pedido. Às vezes, nas sextas-feiras, deixava um envelope com 10 dólares junto da refeição; queria ter certeza de que Maurice poderia comprar comida durante o fim de semana.

Em uma tarde de sábado, Maurice pediu que o porteiro interfonasse para o meu apartamento. Quando abri a porta, ele estava em prantos. Tinha visto Maurice chorando apenas uma vez, e eu sabia que ele era um garoto durão. Pedi que se sentasse, preparei um suco e perguntei o que havia acontecido.

– Pegaram minha mãe vendendo drogas e agora ela está presa – disse.

Até então, ele havia me falado sobre sua mãe apenas uma vez, quando contou que ela ficava cuidando da casa. Desta vez, ele se abriu comigo e me contou mais a respeito dela.

– Ela está na Rikers Island – ele disse. – Rikers é um lugar muito ruim com pessoas muito más.

Conversamos sobre a mãe dele por bastante tempo. Ele me disse que ela já havia sido presa antes, e que, assim como da última vez, ele não sabia quando ela sairia da prisão e voltaria para casa. Maurice admitiu que tinha mentido para mim a respeito do que sua mãe fazia; ele teve a ideia de dizer que ela era uma dona de casa pelo que via nos comerciais da TV. Admitiu que ela era viciada em drogas e que roubava coisas para vendê-las e sustentar o seu vício. Ela vendia todos os vales que eles recebiam para fazerem as suas refeições e usava o dinheiro para comprar drogas; eis o motivo pelo qual raramente eles tinham algo para comer. Depois que começara a usar crack, o seu vício havia piorado.

Ele disse que não havia me contado a verdade sobre ela porque ficou com medo que eu me afastasse.

– Odeio que a minha mãe seja viciada em crack – ele disse.

Não falei muita coisa a Maurice; na maior parte do tempo apenas o ouvi. Não queria julgar a mãe dele. Eu sabia o que era conviver em meio a conflitos familiares e hábitos destrutivos e não havia nenhum conselho excepcional que eu pudesse lhe transmitir. Não podia dizer a ele que tudo ficaria bem; eu tinha certeza de que, quando a sua mãe saísse da prisão, ela voltaria imediatamente a usar drogas e a traficar. Percebi que Maurice precisava apenas de alguém que pudesse escutá-lo. E por isso deixei que ele falasse.

Mais tarde, ele me contaria que aquela fora a primeira vez que sentira ter alguém com quem compartilhar seus problemas.

A mãe de Maurice ainda estava presa quando chegou o aniversário dele, em abril. Decidi preparar para ele a melhor festa de aniversário que poderia ter. Perguntei qual era o seu maior desejo, e ele não demorou para responder:

– Podemos ir à casa da Annette?

Seu maior desejo era passar um tempo no subúrbio na companhia da minha irmã e de sua família. Claro que a minha resposta foi "sim", mas pedi que ele pensasse em outra coisa.

Maurice pensou mais um pouco e então comentou que em breve haveria um evento de luta livre no Madison Square Garden. Chamava-se Wrestlemania e todos os melhores lutadores profissionais estariam lá. Citou alguns nomes que eu nunca tinha ouvido: Hulk Hogan, Ricky Steamboat, Randy Savage e "Rowdy" Roddy Piper. Maurice havia comentado algumas vezes sobre luta livre e eu sabia que era uma das poucas coisas de que ele parecia gostar de verdade.

– Laurie... – disse ele. Àquela altura, já tinha ouvido as minhas sobrinhas e o meu sobrinho me chamarem de tia Laurie e perguntou se poderia me chamar assim também. – Podemos ir ao Wrestlemania?

– Vou pensar – eu respondi.

Liguei para o Madison Garden e comprei os melhores ingressos disponíveis. Embalei-os em uma caixa de presente e os entreguei a Maurice alguns dias antes do seu aniversário.

– Um presente antecipado! – eu disse.

Quando viu os ingressos, ele pulou tão alto que quase alcançou o teto. Fomos ao Wrestlemania juntos e Maurice gritou o máximo que pôde durante as duas horas em que permanecemos lá. O Garden estava repleto de crianças entusiasmadas, todas na faixa etária de Maurice. Fiquei muito feliz em ver que, pelo menos por uma noite, ele pôde ser apenas mais um garoto em meio àquela multidão eufórica.

A segunda parte da comemoração do seu aniversário foi um jantar no sábado à noite no Hard Rock Café. Convidei a minha irmã Nancy e o meu irmão Steven para jantarem conosco. Maurice perguntou se poderia pedir bife novamente e desta vez ele soube como usar a faca de maneira apropriada. A garçonete trouxe um pequeno bolo com velas e o restaurante inteiro cantou parabéns para ele.

No dia seguinte, um domingo, fomos até a casa de Annette para um jantar de aniversário – a terceira parte da comemoração. Maurice ganhou outro bolo e mais presentes. A caminho de casa, ele estava tão cansado que dormiu no carro. Arriscaria dizer que ele estava sonhando com aqueles lutadores em seus uniformes malucos disputando uma luta.

De volta à cidade, estacionei o carro e entrei no meu prédio com Maurice. Ele me deu um longo beijo na bochecha e me agradeceu pelo seu aniversário.

– Foi o melhor aniversário que eu já tive – disse.

Ele virou-se para ir embora, mas parou e olhou para mim novamente.

– Tchau, Laurie. Eu te amo.

Era a primeira vez que ele me dizia isso.

capítulo 15

a bicicleta nova

A mãe de Maurice saiu da Rikers Island pouco tempo depois de comemorarmos o aniversário dele. Ela deixou a prisão limpa e sóbria, muito mais saudável do que estava há anos. Esse era o padrão para pessoas cujo vício atinge níveis avassaladores: anos de abuso de drogas pesadas - que as transformam em zumbis e as empurram para a beira da morte - seguidos de uma pena que literalmente salva as suas vidas. O tempo na prisão proporciona a cura para o corpo e para a mente e permite que tenham pelo menos mais alguns anos de vida. Mas, para muitos, essa energia e resistência apenas facilitavam o regresso ao mundo das drogas e o ciclo iniciava-se novamente. A mãe de Maurice permaneceu limpa por algumas semanas depois de retornar ao Bryant, mas infelizmente voltou a usar crack pouco tempo depois.

Maurice e eu continuamos a nos encontrar todas as segundas e em muitas tardes de sábado pelos dois anos seguintes. Pelo menos uma vez por mês, íamos à casa de Annette para o jantar de sábado, e esse continuava sendo um dos programas favoritos de Maurice. Eu ainda me surpreendia ao ver a reação dele quando experimentava algo pela primeira vez. Lembro-me de certa vez, na véspera do Natal na casa de Annette, quando a minha sobrinha, Brooke, chegou chorando da casa de uma amiga. Ela havia dito para os amigos que acreditava no Papai Noel e eles fizeram chacota dela por isso. Ao chegar em casa, ela perguntou ao irmão e à irmã se era verdade que o Papai Noel não existia. Eles responderam que sim e Brooke ficou inconsolável. Naquela noite, todos nós fomos à igreja para assistir a uma apresentação de Natal. Brooke, que representaria um anjo, estava vestida com suas asas e auréola, mas ainda estava muito abalada com a declaração sobre o Papai Noel e não conseguia parar de chorar. Vestimos os nossos casacos e estávamos prontos para sair, mas Brooke se recusava a ir. Maurice apenas observava o desenrolar da situação. Ele percebeu que estávamos atrasados devido ao ataque de choro de Brooke; observou a maneira como Bruce abordava a filha, em prantos. Maurice já vira situações semelhantes a essa e achava que sabia o que estava prestes a acontecer.

Bruce sentou ao lado da filha e colocou os braços ao redor dela, acariciando os seus cabelos. Disse que tudo ficaria bem e a abraçou até que ela parasse de chorar. Maurice não conseguia acreditar no que estava vendo. No mundo dele, uma criança em prantos receberia uma bronca e provavelmente uma surra.

Depois ele me contaria que aquela fora a primeira vez que ele vira um pai consolar uma criança triste.

No aniversário de quinze anos de Maurice, decidi comprar para ele a sua primeira bicicleta. Ele adorava andar de bicicleta com o meu sobrinho e estou certa de que ele desejava uma bicicleta tão bonita quanto a de Derek. Algumas semanas antes do seu aniversário, fui até Greenlwan, e Bruce, Annette e Derek levaram-me a uma loja de bicicletas. Lá, eu vi uma bicicleta Ross cromada com dez marchas, maravilhosa. Todos nós pensamos o mesmo: uma bicicleta tão bonita poderia ser algo perigoso para Maurice. Sabia que ele jamais poderia levá-la para o Bryant; ela desaparecia ou seria roubada em poucos minutos. Mas eu acreditava que Maurice não poderia privar-se de ter uma boa bicicleta simplesmente por conta das circunstâncias em que vivia. A maneira como vivia não era sua culpa; ele era apenas um garoto. Pensei que, se mantivéssemos a bicicleta no armazém do Symphony e eu observasse os lugares para onde ele ia, não haveria problema em comprá-la.

Então comprei aquela Ross e pedi a eles que a guardassem até que chegasse o aniversário dele. No dia, eu disse a Maurice que Derek ganharia uma nova bicicleta, e que iríamos com ele à loja para que ele escolhesse. Todos nos acompanharam: Bruce, Annette e as crianças. De repente, o gerente da loja chegou com uma bicicleta nova e reluzente, com uma grande fita vermelha amarrada sobre ela. Ele a entregou a Maurice e disse:

– Parabéns pela sua nova bicicleta!

Maurice apontou para Derek e disse:

– Não, não é minha. É dele.

E então, todos juntos, gritamos:

– Surpresa!

Maurice levou bons dois minutos para entender que a bicicleta era sua, não de Derek.

Trouxemos a bicicleta para a casa de Annette. Maurice e Derek saíram e pedalaram por horas, até que Bruce os chamou para jantar. Ainda assim, Maurice não queria parar.

Com frequência, paro para pensar naquele dia. Lembro-me da surpresa de Maurice e de como ele estava completamente feliz e entusiasmado enquanto pedalava. Penso sobre a inocência daquele momento, a pureza da reação dele. Reflito sobre o que significava para ele possuir algo como uma bicicleta Ross. Também penso sobre como tais momentos de inocência são passageiros; como as boas intenções, a visão otimista e até mesmo o amor podem nos proteger da realidade dura, que muitas vezes enfrentamos em nossa vida por tanto tempo. Ganhar aquela bicicleta Ross certamente era algo mágico para Maurice.

Mas magia, assim como o Papai Noel, não existe.

~

Algumas semanas após comprar aquela bicicleta para Maurice, Nancy me ligou dizendo que gostaria que eu conhecesse um colega de trabalho dela. Eu tinha 38 anos e já estava divorciada há mais de dez. Durante esse tempo, conheci algumas pessoas e tive alguns relacionamentos sérios, mas não encontrei ninguém por quem senti algo mais forte. Com o passar dos anos, comecei a duvidar que realmente encontraria essa pessoa, mas sempre mantive o sonho de ter a minha própria família – e não desistiria disso.

Michael e o tio dele tinham um negócio bastante rentável alugando carros para viajantes na Europa. Ele era divorciado e tinha dois filhos, um deles quase formado na faculdade e o outro prestes a ingressar. Na companhia da minha irmã e do noivo dela, John, fomos ao El Quijote, um tradicional restaurante mexicano no bairro do Chelsea, em Manhattan. Lembro-me que naquele dia eu estava vestindo um terno azul e pedi lagosta para comer. Lembro-me também que há muito tempo não me sentia tão bem em um encontro. Michael era carinhoso, divertido, charmoso e elegante e, ao despedir-me, senti que tinha gostado dele.

Ele me ligou alguns dias depois me convidando para sair novamente, e fomos a um restaurante próximo ao meu apartamento. Tínhamos conversado sobre Mandy Patinkin, e Michael apareceu com um CD dele. No nosso terceiro encontro, ele me buscou no meu apartamento e trouxe um maço de cigarros da L&M. Ele sabia que eu não fumava mais, então fiquei confusa. Até que entendi: L e M eram as nossas letras iniciais: Laura e Michael. Na quarta vez em que nos encontramos, fomos a um restaurante próximo à casa dele, no subúrbio, o White Plains. Fui até o meu carro, logo atrás do dele e, para minha surpresa, a atendente na cabine de pedágio disse:

– Aquele bonito cavalheiro que passou à sua frente pagou a taxa de 25 centavos para você.

"Que bom", pensei. "Gentil". Eram apenas 25 centavos, mas mesmo assim era um gesto de muita gentileza.

Contei a Maurice sobre Michael logo após o nosso primeiro encontro. Disse que havia encontrado uma pessoa muito boa e que estava interessada em investir nessa relação. Às vezes, Maurice me perguntava por que eu não tinha um namorado e eu sempre dava de ombros.

Agora eu queria ser muito sincera com ele, porque sabia que ficaria preocupado ao pensar que um namorado poderia mudar a nossa amizade ou mesmo impedi-la. Eu queria assegurar-lhe de que isso jamais aconteceria. Maurice demonstrou verdadeiro entusiasmo e alegria ao saber que eu havia encontrado alguém.

– Já era hora de você conhecer alguém legal – disse. – Alguém que vá cuidar de *você*.

E, da mesma forma que eu havia contado sobre Michael a Maurice, também contei a Michael sobre Maurice. Contei que havia encontrado uma criança fantástica na rua, que nos tornamos amigos, nos encontrávamos todas as segundas-feiras e nos preocupávamos um com a vida do outro. Michael assentiu com a cabeça e disse "Que bom", mas não demonstrou nenhum interesse especial no assunto. Estava acostumada a ver as pessoas me perguntando muitas coisas a respeito de Maurice, mas com Michael foi diferente.

Durante o final de semana do Memorial Day, fomos ver o novo barco de pesca de Michael, um Grand Banks de uns trinta metros que tinha acabado de chegar de Singapura. Ele o chamou de Paddington Station. Eu nunca passara muito tempo dentro de um barco, mas gostei imediatamente. Quando Michael me convidou para acompanhá-lo em um cruzeiro de duas semanas, partindo no dia 4 de julho, respondi imediatamente que sim.

Então conversei com Maurice a respeito dessa viagem. Ficaríamos duas semanas seguidas sem nos ver, a primeira interrupção na nossa programação desde que nos conhecemos. Novamente, Maurice ficou muito entusiasmado: pediu que eu não me preocupasse com ele, disse que estava muito feliz por mim, que eu merecia ser muito bem tratada e que deveria me divertir. Ele fez eu sentir que não haveria nenhum problema em fazer aquela viagem, mas ainda assim senti um frio na barriga ao pensar que não nos veríamos por duas segundas. Lembrei-me do que a professora House havia dito: "Você não pode simplesmente acordar um dia e abandonar esse menino". Mas eu não estava fazendo isso; só me ausentaria por duas semanas. Ainda assim, não pude evitar a sensação de que estava de alguma forma abandonando Maurice.

Depois da nossa viagem, Michael me convidou para morar com ele em Westchester. Naquele momento eu já estava completamente apaixonada; senti que ele me oferecia tudo que eu desejava em um homem. Era gentil, atencioso, generoso e aparentava ser um excelente pai. Além disso, ele não tinha um temperamento forte e tampouco bebia demais. Estava ansiosa para viver com ele, mas sentia aquele mesmo frio na barriga: *e Maurice?* Em Manhattan, morávamos a apenas duas quadras de distância um do outro, e quando queria, Maurice simplesmente aparecia para me visitar e depois ia embora. Agora, eu sairia da cidade e moraria no subúrbio, a 45 minutos de distância. Quando imaginei a conversa que teria com Maurice, comecei a chorar. Era como um enigma que não tinha resposta: como eu poderia seguir o meu coração e ficar com Michael, mas sem deixar de lado a relação que tinha com Maurice?

Curiosamente, Maurice também estava prestes a se mudar. A mãe dele havia recebido o seu próprio apartamento no Brooklyn pelo Section 8, programa federal que subsidiava moradia para as famílias de baixa renda. Essa seria a primeira casa de verdade que Maurice teria. A mudança estava prevista para o feriado do Dia do Trabalho, em um fim de semana – o mesmo em que eu me mudaria para a casa de Michael. Ao ver o quanto Maurice estava entusiasmado com a sua própria mudança, me senti menos culpada, mas não muito. Sabia que, mesmo com a mudança de Maurice para o Brooklyn, ele poderia facilmente ir a Manhattan para me visitar; mas, como me mudaria para Westchester, a nossa programação semanal mudaria para sempre.

Quando sentei com ele para dizer que eu estava de mudança, não conseguia parar de chorar. Continuaríamos a nos encontrar todas as segundas-feiras na cidade, e também nos falaríamos pelo telefone e manteríamos a nossa amizade, mas mesmo assim senti uma tristeza profunda porque todos os nossos momentos especiais – preparar os biscoitos no meu apartamento, observar Maurice arrumando a mesa, lavando suas roupas e enfeitando a árvore de Natal –, tudo isso seria perdido. Mais uma vez, Maurice tentou acabar com a minha angústia.

– Laurie, nós ainda vamos nos ver todas as segundas – disse. – Podemos ir ao Hard Rock. Tudo vai continuar como sempre.

Aquela criança de rua estava *me* tranquilizando, dizendo que não haveria o menor problema com a minha mudança para Westchester. E completou:

– Não se preocupe comigo. Vou ficar bem. Laurie, agora é a sua vez.

~

Embalei tudo o que eu tinha, mandei para White Plains e, no fim de semana, durante o feriado do Dia do Trabalho, dirigi até a minha nova casa – um sobrado rural bem discreto com um riacho correndo no quintal dos fundos. Pedi a Maurice que me ligasse assim que mudasse para o seu novo apartamento. Havia embalado os seus pertences também – tudo, exceto a sua bicicleta, que ficaria no armazém de bicicletas do Symphony. Eu pagava uma gorjeta ao porteiro para que deixasse Maurice pegá-la quando quisesse. Maurice não me ligou naquele final de semana e comecei a ficar preocupada. Finalmente, na segunda-feira, ele me ligou; chorava tanto que eu não conseguia entender o que dizia. Pedi que se acalmasse e me dissesse o que estava acontecendo. Maurice prendeu a respiração e disse:

– Roubaram a minha bicicleta – disse. – E minha mãe foi presa.

Contou-me que estava pedalando pelo centro de Manhattan e cometeu o erro de ficar na rua até tarde. Ele me prometera que nunca ficaria na rua com sua bicicleta até o anoitecer, e ele cumpria essa promessa. Mas, no fim de semana em que mudou de casa, por um motivo qualquer, estava andando de bicicleta à noite. Contou que dois garotos pularam em cima dele, o derrubaram e saíram correndo com a bicicleta dele. Tentou segui-los, mas não conseguiu alcançá-los. Ele disse que estava se sentindo muito mal porque a bicicleta que eu tinha lhe dado tinha sido roubada, mas eu disse que estava tudo bem.

– É só uma bicicleta... O importante é que não tenham machucado você.

Mas eu sabia que para Maurice não era apenas uma bicicleta; ela representava algo importante e que havia sido cruelmente arrancado dele.

Somente alguns anos depois eu soube que a história que Maurice me contou não era verdade. De fato, ele perdeu a bicicleta naquele final de semana, mas não da maneira como havia me contado. Ele estava pedalando quando parou para conversar com algumas crianças que conhecia do Bryant. Não estava escuro; estava em plena luz do dia. Um homem em torno dos seus vinte anos apareceu e elogiou a bicicleta. Maurice conhecia o homem de vista, mas eles nunca haviam conversado.

– Posso dar uma volta? – o homem perguntou.

Maurice, sentado na bicicleta, respondeu que não.

– Vamos lá, é só uma volta... – o homem insistiu. – Só quero ver como ela funciona.

O homem tirou a carteira do bolso e entregou a carteira de habilitação a Maurice.

– Cara, não vou roubar a sua bicicleta. Fique com a minha habilitação para ter certeza de que vou voltar – disse o homem.

Maurice não queria que aquele homem montasse em sua bicicleta. Sua intuição pedia que ele simplesmente saísse pedalando, mas ele a ignorou e decidiu confiar no homem. Pegou o documento, entregou a bicicleta ao homem e o observou ir embora.

– Volto em dez minutos – disse.

Pacientemente, Maurice esperou na esquina por dez minutos. Imaginou que o homem demoraria mais tempo para voltar, afinal, aquela era uma bicicleta sensacional. Esperou por meia hora, uma hora. A luz do sol se foi e o céu escureceu.

Maurice ficou na esquina esperando por sete horas.

A carteira de habilitação era falsa; a bicicleta se fora para sempre. Maurice sentiu uma mistura de raiva, surpresa e tristeza. Acima de tudo, ele estava aterrorizado por ter perdido algo que eu havia lhe dado – algo que eu havia confiado a ele. Decidiu então que de forma alguma me contaria a verdade, pois soaria como falta de cuidado e estupidez da parte dele; por isso inventou que dois garotos haviam levado a bicicleta.

Ao olhar para trás, sei o motivo pelo qual Maurice ignorou a sua intuição: foi por minha causa. Ele sabia o quanto eu confiava nele. Eu permitia que ele ficasse no meu apartamento, nunca considerei que ele pudesse roubar moedas daquele jarro. Eu sempre lhe dizia que não havia nada mais importante do que a confiança. Maurice era o beneficiário da minha bondade e ele estava motivado a ser bom para alguém também. Ele compreendeu os conceitos de confiança e de amizade e agora estava pronto para colocá-los em prática.

E a pessoa a quem ele ofereceu a sua confiança e amizade o decepcionara.

Será que enchi a cabeça de Maurice com ideias que não tinham a menor relevância para sua vida? Teria eu retirado a camada protetora que ele precisava para sobreviver nas ruas? Será que eu estava enganando a mim mesma – e a ele – ao pensar que apenas algumas refeições e uma bicicleta nova poderiam fazer a diferença? Eu precisava encontrar a resposta para uma pergunta muito difícil: estaria eu causando mais mal do que bem a Maurice?

Naquele dia, ele também me contou que sua mãe havia sido presa – porém, mais uma vez, não me contou toda a história.

Alguns dias antes da prisão, Maurice estava muito animado com a expectativa do novo apartamento. Havia passado a vida inteira dividindo quartos minúsculos com dez ou doze pessoas e agora, pela primeira vez, teria um apartamento com dois quartos apenas para ele, a mãe, a avó e as irmãs. Isso amenizou sutilmente o impacto da notícia de que eu estava indo para White Plains.

Embora nunca tenha demonstrado que estava preocupado com a nossa amizade – nem mesmo por um segundo –, a verdade é que Maurice ficou abalado com a minha mudança. Estava acostumado a ser abandonado pelos adultos, e não poderia evitar que eu o abandonasse também. Ele adorava ir ao meu apartamento, fazer as suas lições de casa, ter um lugar onde lavar suas roupas. Gostava de passar o tempo comigo, e agora eu estava me mudando, e para um lugar distante. Ele nunca deixou transparecer, mas depois percebi que estava apavorado porque perderia tudo aquilo.

Mas ao menos ele agora teria um novo apartamento. Foram anos e anos de espera atendendo às exigências do sistema e finalmente chegara o momento para a sua família. Dois dias antes da mudança, Maurice estava muito animado enquanto esperava sua mãe voltar para casa; ele estava ansioso para saber mais a respeito do novo apartamento. Darcella não voltou para casa naquela sexta-feira... nem no sábado. Maurice imaginou que ela estivesse em algum lugar se recuperando do uso excessivo das drogas. Darcella precisava voltar a tempo da mudança, que ocorreria na segunda-feira.

Porém, naquela segunda-feira, sua avó lhe contou que Darcella estava presa.

A mãe de Maurice estava vendendo drogas no Port Authority, o terminal de ônibus central de Manhattan, uma área decadente nas proximidades da Times Square. Estava nas escadarias quando uma mulher tentou roubá-la. Darcella a atacou violentamente. Devido à confusão, a polícia chegou ao local e encontrou papelotes de crack nos bolsos de Darcella. Ela foi presa, acusada por porte de drogas com intenção de tráfico e por tentativa de homicídio. Na segunda-feira, em vez de se mudarem, Maurice e a avó foram a um tribunal em Manhattan. O advogado de assistência jurídica gratuita explicou que, mesmo se o juiz rejeitasse o caso, eles ainda teriam a chance de mudar para o novo apartamento. Ele suplicaria ao tribunal e explicaria as difíceis circunstâncias da família, dizendo ao juiz que o apartamento estava disponível a eles e que essa era a única esperança que a família tinha para mudar de vida.

Maurice viu a mãe entrar no tribunal com as mãos algemadas. O advogado disse ao juiz que Darcella e sua família estavam sem moradia há sete anos, viviam em condições sub-humanas e agora finalmente teriam a chance de possuir uma casa. Teria o juiz misericórdia dessa família para permitir a eles uma chance de viver na normalidade?

– Você viu a mulher que a sua cliente atacou? – perguntou o juiz.

– Ela estava apenas se defendendo – o advogado contestou.

– Isso não é autodefesa, foi um ato de maldade com a intenção de prejudicar.

O juiz não aceitou o argumento do advogado. Remarcou o julgamento de Darcella e ordenou que aguardasse presa. Maurice observou a sua mãe desaparecer atrás da bancada do juiz.

Agora, ele também não tinha mais o seu novo apartamento.

Darcella foi condenada a 25 anos de prisão por tentativa de assassinato. Ela aceitou o pleito de dois anos e meio. Foi enviada para a Rikers Island e mantida em uma prisão de mulheres. Maurice nunca, nem uma vez, a visitou durante esses dois anos e meio; sua avó e suas irmãs a visitavam, mas ele não. Disse a si mesmo que não aceitava visitar ninguém na cadeia.

A prefeitura cedeu um apartamento em péssimas condições para a avó de Maurice na Hancock Street, no Brooklyn. Era menor que o quarto onde moravam, no Bryant. Maurice mudou-se com as irmãs e com um tio e, com o desenrolar dos dias, passou a morar até mesmo com pessoas que não conhecia. Não tardou muito e o lugar se transformou em um ponto de drogas, mais um lugar abandonado, sem comida, paz e tampouco privacidade.

Maurice não me contou que, por conta da prisão da mãe, a família perdeu o apartamento no Brooklyn. Pensei que eles ainda se mudariam assim que Darcella saísse da prisão. Como já havia feito antes, Maurice me poupou das verdades mais duras de sua vida. Ele não me contou que se mudara para aquele quarto na Hancock Street, e nem que, após alguns dias, não suportava mais viver lá.

Também não me contou que saiu de casa para viver nas ruas.

~

Após a minha mudança e a prisão de sua mãe, Maurice e eu continuamos a nos ver às segundas-feiras. Nós nos encontrávamos em um restaurante ou íamos ao cinema, ou ainda jogávamos fliperama; ele nunca me contou, de fato, o que estava acontecendo em sua vida naquela época. Não havia como negar que as coisas estavam diferentes, mas decidimos aproveitar ao máximo os nossos encontros. Com o passar do tempo, a distância geográfica entre nós se tornou um problema. Não pude comparecer a um ou outro encontro, e o mesmo aconteceu com Maurice. Depois de certo tempo, reduzimos os nossos encontros para três segundas-feiras por mês; houve meses em que nos encontramos apenas duas vezes.

Mas eu tinha um plano secreto. A minha relação com Michael estava indo muito bem e, poucos meses depois de nos conhecermos, eu tinha certeza de que ele me pediria em casamento. Nós nos divertíamos muito na companhia um do outro e, durante aquela viagem de barco, comecei a imaginar como seria o meu futuro ao lado dele. Foi quando tracei o meu plano: se a situação de Maurice se complicasse novamente, eu o traria para morar comigo na casa de Michael, que tinha quatro quartos. Nunca comentei isso com nenhum dos dois. Apenas permaneci com a ideia pairando em minha cabeça. Michael era um homem de posses e o dinheiro nunca era problema para ele. Pensei sobre o impacto que Michael teria sobre Maurice: tanto pelo exemplo de vida como pela figura de pai. Sonhei com a ideia de que Michael pagaria a faculdade para Maurice. Refleti sobre como a vida de Maurice mudaria completamente se ele viesse morar conosco.

É claro que Maurice nunca mencionou que tinha essas expectativas, mas acredito que, no fundo, ele também sonhou com isso.

Esse plano secreto pelo menos ajudou a amenizar a culpa que eu sentia por me afastar. Era óbvio que a minha relação com Maurice estava ficando cada vez mais complicada. Annette e

Bruce decidiram mudar para a Flórida e o jantar do Dia de Ação de Graças não pôde ser na casa deles, pois estavam embalando as coisas para a mudança. Por isso, fomos todos convidados a ir para a casa da sogra de Annette. Para mim, levar Maurice até a casa da minha irmã era uma coisa, mas levá-lo à casa de outra pessoa era outra, completamente diferente. Minha amizade com Maurice – eu sabia muito bem – não era algo fácil de ser explicado. Não era tão simples inserir Maurice em cada situação da minha nova vida.

Sofri com a decisão e levantei durante a noite para pensar. Por fim, cheguei à conclusão de que iria ao jantar – sem Maurice. Àquela altura, era uma das decisões mais difíceis que eu já havia feito, e hoje, apenas ao pensar nela, sinto dores no estômago. Queria mais que tudo passar o Dia de Ação de Graças com Maurice, mas também desejava permanecer ao lado do homem que eu amava, bem como estar com a minha irmã e com a família dela antes que eles se mudassem para a Flórida. Ao olhar para trás, sei que deveria simplesmente ter dito que não iria a lugar algum sem a companhia de Maurice.

Mas não foi isso que fiz. Disse a Maurice que não passaria o Dia de Ação de Graças com ele.

E, como de costume, Maurice me disse que não se sentiria mal por isso.

– Não se preocupe comigo – ele disse. – Podemos nos encontrar logo depois.

E, claro, ainda haveria o Natal, o nosso feriado favorito.

Uma semana antes do Dia de Ação de Graças, Nancy casou-se com John – aquele que estava conosco no restaurante em meu primeiro encontro com Michael. Logo após a festa de casamento deles, no quarto do hotel onde Michael e eu estávamos hospedados, ele me entregou uma caixa preta pequena e me pediu em casamento. Não foi bem uma surpresa: ele havia me pedido para ajudá-lo a escolher o anel. Eu tinha escolhido o diamante e a base e sabia que a combinação ficaria perfeita, mas até então não os vira juntos. Quando ele fez o pedido de casamento, pulei em seus braços e respondi:

– Sim!

Depois do meu primeiro e desastroso casamento, acreditei que não me apaixonaria novamente. E agora, eu estava apaixonada por um homem maravilhoso, e ainda tinha a chance de viver o meu sonho – ter a minha própria família. Marcamos o casamento para o mês de junho.

Chegou então o momento de começar a planejar o meu Natal com Michael em White Plains. Poucas semanas antes, disse a Michael que convidaria Maurice para passar o Natal conosco.

– Não acho que seja apropriado – disse ele.

Esperei um momento para engolir aquilo.

– O que você quer dizer com "não é apropriado"?

– Não acho que você deveria convidar Maurice para passar o Natal conosco.

– Um momento – eu disse. – Você sabe que Maurice é meu amigo e o quanto ele é importante para mim. Por que não quer que eu o convide?

– Porque eu não sei nada sobre ele... Não sei nada a respeito da família dele.

– Maurice é uma excelente criança. É meu amigo e ponho as minhas mãos no fogo por ele.

– Laura, a questão não é que eu não confie em Maurice, mas ele tem uma família. Não sabemos nada sobre os parentes dele, e não quero trazer isso para a nossa vida.

Essa discussão continuou por horas.

Não conseguia acreditar no que estava ouvindo. Fiquei nervosa, confusa, chocada. Jamais imaginei que Michael não aceitaria Maurice em nossa vida juntos. Nunca, mas nunca mesmo pensei que ele poderia banir a presença de Maurice em nossa casa. Nunca havíamos falado sobre isso, mas havíamos conversado bastante sobre Maurice, e Michael sabia qual era a minha relação com ele.

Para mim, estava implícito que ele faria parte da nossa família. Foi muito frustrante perceber àquela altura que o homem que amava não compartilhava da mesma visão que eu. Mas essa não era a pior parte; Michael não apenas era contra convidar Maurice para passar o Natal conosco, como estava *decidido* a não fazer isso. Era um homem seguro e determinado, acostumado a tomar as suas decisões e não voltar atrás. Estava irredutível.

– Como você pode ser tão insensível?

– Qual é o problema?

– Tenho um compromisso com Maurice. Você sabe o que sinto por ele.

– Nunca disse que você não poderia vê-lo.

– Mas não posso trazê-lo à sua casa?

– Não seria uma situação confortável.

Discutimos por horas, até que ficamos exaustos. Fui para a cama e cobri a cabeça com o cobertor. Tentei dormir, mas não consegui. Às duas da manhã, levantei, me vesti, dirigi até a Mamaroneck Avenue e parei próximo ao mar. Fiquei sentada no meu carro, chorando. Perceber como seria difícil para mim conciliar a minha amizade com Maurice e a minha vida com Michael foi uma das coisas mais dolorosas da minha vida. Enquanto estava ali sentada no meu carro, lembrava das palavras da professora House: "Você não pode abandonar esse menino". Pensei em Maurice e imaginei onde ele estaria naquele momento; numa cama com lençóis sujos, em uma casa sem mãe. Pensei também sobre a bicicleta que havia sido roubada; lembrei do nosso ritual de preparar e assar biscoitos, que agora não acontecia mais. Refleti sobre onde Maurice passaria o Natal se não fosse comigo: no Exército de Salvação, com uma caixa de brinquedos doados.

Também pensei sobre o que eu poderia dizer ou fazer para mudar a opinião de Michael. O que mais me angustiava era que ele estava completamente inflexível. Nunca me ocorreu que as nossas divergências em relação a Maurice poderiam prejudicar a nossa relação. Amava Michael e desejava me casar e ter filhos com ele, mas conheci um lado seu que nunca havia visto antes – uma intransigência, talvez egoísmo, mas certamente um desrespeito à angústia que eu estava sentindo. Ele não queria aceitar Maurice em nossa casa no Natal, mas não poderia fazer isso por mim? Como não enxergou que aquela decisão me magoaria? E, se ele sabia da minha angústia, como poderia não se preocupar?

Voltei para casa, deitei na cama e não disse uma palavra a Michael durante quatro dias.

Depois disso, o que eu deveria ter feito era ter persistido e mantido a minha ideia. Deveria ter dito a Michael que não poderia ficar com ele se ele não aceitasse Maurice e que a minha vida, assim como a vida dele e de sua família, pertencia agora a nós dois. Maurice era parte da *nossa* vida, quisesse ou não. Deveria ter dito que Maurice viria passar o Natal conosco e ponto final.

Mas não disse. Encontrei Maurice em um restaurante e, como fizera com o Dia de Ação de Graças, disse que não poderia vê-lo no Natal. Prometi que o encontraria na segunda-feira logo após o Natal, traria os presentes dele e que voltaríamos a nos ver todas as segundas-feiras.

– Me desculpe Maurice, me desculpe, me desculpe, por favor, me desculpe.

E Maurice, que não tinha culpa de nada, disse:

– Laurie, tudo bem.

No mês de junho, Michael e eu nos casamos em uma cerimônia pequena, na nossa casa em White Plains. Convidamos aproximadamente cem pessoas e montamos uma tenda no nosso jardim. Em um belo dia de verão, fizemos os nossos votos próximo ao riacho que cruzava a nossa casa. Foi uma cerimônia linda.

Mas meu amigo Maurice não estava lá.

capítulo 16

o casaco

Certo dia, no apartamento do Section 8 de sua avó, no Brooklyn, Maurice contou quantas pessoas estavam naquela sala minúscula: doze. Nem todos os presentes moravam lá, mas eram assíduos frequentadores – primos, tios, amigos, viciados, vizinhos e pessoas dormindo pelos cantos. Era dessa forma que Maurice vivia: brigando por espaço em um lugar imundo. Mas, depois que sua mãe foi presa – depois de perder a pessoa que ele mais amava –, Maurice não suportava mais viver em meio àquela loucura. Então, decidiu sair.

Ele conhecia bem as ruas. Salas de jantar enormes, um jarro grande cheio de moedas e presentes embalados com fitas de cetim poderiam surpreendê-lo, mas as ruas eram algo que ele conhecia muito bem. Havia crescido pelo menos uns sete centímetros desde que o conhecera, era alto para sua idade, magro e forte – agora já era muito mais um homem do que um garoto. Sentia-se seguro para sobreviver fora de casa; sabia como pedir comida, despistar policiais e ser durão sempre que houvesse a necessidade. E, pelo menos duas ou três vezes por mês, ele ainda podia me encontrar na cidade. Creio que aqueles encontros eram mais importantes para Maurice do que nunca. Eram a única dose de normalidade no mundo que se tornava cada vez mais hostil a ele.

Maurice sabia onde poderia dormir: no decadente Kung Fu Theater, na 42nd Street, Times Square. O nome oficial do lugar era Times Square Theater, mas lá se passavam filmes de kung fu o tempo todo. Maurice pedia o dinheiro nas ruas para pagar o ingresso, encontrava um assento no fundo, ajeitava-se nele e dormia durante a noite, com o som estridente dos golpes de kung fu enchendo a sua cabeça. Durante o dia, pedia dinheiro e comprava um ingresso para o cinema do outro lado da rua e assistia várias vezes seguidas ao filme de Eddie Murphy, *Um príncipe em Nova York*. Deve tê-lo assistido trezentas vezes. Sabia todas as falas de cor.

Ele se infiltrava no YMCA na West 59 Street para tomar um banho e de vez em quando voltava ao Brooklyn para visitar a avó. Nunca ficava lá por muito tempo e ninguém jamais lhe perguntou onde ele estava vivendo, tampouco onde estava dormindo. Por um tempo, continuou frequentando a I.S. 131, até que foi transferido para outra escola, exclusiva para crianças especiais. Não sabia exatamente o que aquilo significava, até que percebeu que a maioria dos alunos tinha sérios problemas mentais e emocionais. Como não se sentia parte do mundo deles, parou de ir à escola alguns meses depois. Por volta dos dezesseis anos, parou de estudar.

O desafio de Maurice agora era encontrar uma maneira de conseguir dinheiro. Não queria mais mendigar. Havia uma solução óbvia, tangível e possível: ele poderia, assim como todos os homens da sua família, vender drogas. Nada lhe traria mais dinheiro do que vender crack. Sabia como o negócio era lucrativo, porque via os seus tios trazendo pilhas e pilhas de dinheiro para casa. Tinha o conhecimento necessário para traficar: sabia onde conseguir a droga, como prepará-la e onde vendê-la. Maurice poderia ter entrado no negócio das drogas em um segundo, e logo no primeiro dia teria faturado centenas de dólares. Quando saiu de casa e estava morando nas instalações do cinema, refletiu sobre essa possibilidade – pensou e repensou. Estava lutando contra si mesmo e tentando encontrar um motivo para não entrar nesse mundo.

Mas algo o deteve. Algo lhe dizia que aquele era um caminho sem volta. Decidiu ir a uma agência de mensageiros em Manhattan. Havia agências que contratavam jovens para transportar correspondências, pacotes e documentos de empresa para empresa. A primeira agência recusou Maurice, assim como a segunda e a terceira, mas ele continuou tentando. Finalmente, a Bullet Messenger Manpower decidiu lhe dar uma chance. Maurice transportava caixas de arquivos, cartas e documentos legais e cruzava a cidade para entregá-los; viajava de metrô percorrendo a ilha de Manhattan e ganhava oito dólares por hora. Parou de pedir dinheiro nas ruas para sempre.

Maurice gostava de receber o salário e saber que aquele dinheiro havia sido conquistado com o suor do seu trabalho. Gostava tanto do dinheiro que queria ganhar mais. Ele observara o negócio das drogas e percebera que o sucesso dependia de inteligência e energia, ambas qualidades que ele possuía. Sabia que poderia ser mais esperto que qualquer um nas ruas; poderia se tornar um mestre das vendas, comprando, vendendo e movimentando mercadorias. Então decidiu entrar no mercado das vendas – não de drogas, mas de jeans.

Maurice ia a um bairro chinês e comprava calças jeans falsificadas da Guess. Pagava sete dólares por cada uma e as revendia por até 40 dólares. Isso aconteceu no final dos anos 1980, quando a venda de jeans falsificados estava em alta na cidade de Nova York. No início, revendia os jeans para os colegas mensageiros, depois para traficantes e suas respectivas namoradas. Descobriu que conseguia ganhar centenas de dólares por semana com essas vendas. Com frequência, ia ao Brooklyn levar um pouco de dinheiro à sua avó para que ela pudesse comprar comida e cuidar de si mesma. Não contava a ela de onde vinha o dinheiro e ela também não perguntava. Maurice sabia que a venda de jeans falsificados era ilegal, mas não tinha onde morar, passava necessidades e não tinha certeza sobre seu futuro. Diante de tais circunstâncias, nem sempre é fácil traçar uma linha clara entre o bem e o mal. A prioridade para Maurice era sobreviver e ganhar dinheiro suficiente para ajudar sua família; sob essa pressão, a escolha que ele fez, de vender jeans em vez de crack e cocaína, era, para ele, certa e razoável.

Depois de certo tempo, Maurice conseguiu dinheiro suficiente para sair do Kung Fu Theather. Alugou um quarto em um hotel barato, onde passava a noite por 45 dólares – o tipo de lugar que aluga quartos por hora, frequentado por prostitutas e seus clientes. Era sujo, barulhento e perigoso, mas para Maurice significava muito.

Era a primeira vez em toda sua vida que ele tinha um quarto só para ele, além de uma cama e chuveiro.

Foi assim que Maurice sobreviveu. Ficou certo tempo na Covenant House, na Times Square – um abrigo que hospedava jovens sem moradia, mas não gostava de lá e logo saiu. Fez até algo que antes seria impensável para ele. Foi ao escritório da Bureau of Child Welfare. Esperava que eles o enviassem para um abrigo de garotos onde pelo menos teria refeições, uma cama para dormir e a chance de solucionar as coisas. Mas eles encontraram seus registros e descobriram que Maurice estava sob a guarda da avó. Descobriram onde ela morava e o enviaram de volta para lá.

Então Maurice voltou a viver nas ruas.

A mãe dele voltou para casa. Após cumprir dois anos e meio de sua pena, saiu da prisão e o governo a enviou para um abrigo na violenta seção Brownsville do Brooklyn. Concederam-lhe um apartamento de dois quartos, o que significava que Maurice poderia morar com ela. E foi o que ele fez. Morariam juntos apenas os dois – as irmãs de Maurice estavam morando com seus namorados –, o que era a melhor condição de vida que Maurice já havia tido. Sua mãe estava limpa, pelo menos por enquanto, e não havia primos, tios ou traficantes obrigando-o a sair dali. Eram apenas Darcella e Maurice, mãe e filho juntos.

Até o dia em que Maurice chegou em casa e viu um homem baixo e magro sentado na cozinha, conversando com sua mãe:

– Quem é ele? – Maurice questionou.

– É o seu pai – ela respondeu.

Ele não via o pai desde os seis anos de idade – desde o dia em que sua mãe apareceu com um martelo para trazê-lo para casa. Naquele verão, Morris pedira para ficar com o filho e, por algum motivo, Darcella concordara. Durantes aqueles três meses, Maurice quase morreu de subnutrição, desenvolveu uma infecção na pele e perdeu tanto peso que as costelas sobressaltavam pela pele. A negligência extrema do pai poderia ter sido fatal, mas Darcella chegou a tempo. Ela usou um martelo para expulsar Morris e a namorada, e levou Maurice com ela. Depois daquele dia, o pai desapareceu da vida de Maurice.

Agora, tantos anos depois, ele estava de volta.

Maurice ficou chocado ao ver quão fraco e magro seu pai estava. A arrogância e a prepotência se foram; agora, ele parecia apenas velho. Ainda assim, as lembranças ruins continuavam lá, e Maurice não ficou feliz ao vê-lo.

– O que ele está fazendo aqui? – Maurice perguntou à mãe. – Manda ele ir embora.

Depois de dizer isso, Maurice virou-se e saiu, sem dizer uma palavra sequer ao pai.

Pouco tempo depois, Maurice escutou nas ruas que Morris tinha aids. Talvez ele tivesse contraído a doença ao usar uma agulha contaminada ou ao ter relações sexuais sem proteção. Maurice via o pai nas ruas e se afastava, mas também sentia pena dele. Morris era o homem mais poderoso que Maurice já conhecera, corajoso, temido por todos, e ali estava esse mesmo homem vagando pelas ruas, aparentando o dobro da idade que tinha. Um dia, Maurice o viu tropeçar e cair na calçada. Sem pensar, correu imediatamente para ajudá-lo. Depois disso, eles passaram a conversar esporadicamente, o que permitiu ao garoto a chance de perguntar algo que ele sempre quis saber:

– Cara, por que você tem que ser assim? Eu deveria querer ser como você, mas você me fez querer ser completamente diferente. Por que você tem que ser assim?

Morris sussurrou:

– Era a única maneira que eu conhecia.

E então ele se desculpou, repetidamente:

– Me desculpa, filho. Você não vê o quanto estou triste? Nunca seja igual a mim. Não quero que você seja igual a mim.

Maurice viu o pai ficar cada vez mais fraco e magro. Pouco antes de morrer, ele procurou Maurice na rua e o parou para conversar.

– Sei que eu nunca fiz muito por você, mas tem uma coisa que eu gostaria que você fizesse por mim.

Maurice se preparou para o pedido.

– O que quero te pedir é que o nome do seu filho seja Maurice.

Maurice sempre odiou o próprio nome, porque era o nome do seu pai, do avô e do bisavô. Sabia que jamais daria o próprio nome ao filho, de jeito nenhum. Mas aquele homem velho estava doente e Maurice teve pena dele, então respondeu:

– Tudo bem. Farei isso.

Poucos dias depois, um vizinho contou a Maurice que seu pai tinha falecido naquela manhã. Era Halloween. Maurice foi até o apartamento onde seu velho morava e o encontrou deitado no chão, ao lado de um colchão. Maurice se abaixou, segurou o pai nos ombros e o colocou sobre a cama. Ficou surpreso ao sentir que o corpo estava muito leve. O cara mais agressivo do Brooklyn, o rei da Tomahawks, havia se transformado em pele e osso. Maurice esperou até que uma ambulância chegasse. Assistiu a ambulância levando-o. Em seguida, saiu do apartamento e foi para a rua.

Maurice não me contou que seu pai tinha morrido. Estava tentando me poupar, como sempre fazia, de mais um capítulo triste e difícil de sua vida. Porém, as emoções complexas que ele sentia pelo pai – a aspereza, as cicatrizes e os assuntos mal resolvidos daquela relação – eram algo com que eu podia me identificar. Assim como podia compreender, como qualquer outra pessoa, como uma história familiar turbulenta influencia a vida de uma pessoa, o quanto as coisas que carregamos da nossa infância definem os adultos que nos tornamos.

~

Além das nossas divergências em relação a Maurice – o que não era pouco –, Michael e eu estávamos nos dando bem. Michael nunca me impediu de manter a amizade com Maurice e eu continuei a vê-lo. Por fim, ele me acompanhou nos encontros com o garoto e nós três compartilhamos várias refeições e passeios. Michael percebeu o quanto Maurice era especial e finalmente passou a entender porque ele era tão importante para mim. Certo ano, Michael cedeu e permitiu que eu convidasse Maurice para passar o Natal conosco. Nancy e seu marido e Steven também vieram e tivemos um Natal maravilhoso – mas não foi como os velhos tempos na casa de Annette. Não posso dizer que Michael se apegou a Maurice de fato; ele mantinha uma parede entre eles. Senti-me muito feliz por Maurice fazer parte das nossas vidas, e ele também estava feliz, mas ficava cada vez mais claro que o meu sonho de trazê-lo para morar conosco jamais se tornaria realidade. Nunca sequer toquei no assunto.

Por outro lado, a teimosia de Michael me preocupava também. Eu tinha quarenta anos agora e a chance de ter um bebê estava se esvaindo. Ter filhos não era um assunto sobre o qual Michael e eu havíamos conversado antes de nos casarmos, o que foi um grande erro. Na época, eu estava me divertindo tanto com ele que me envolvi na nossa relação e nunca pensei em ter essa conversa. Sabia que ele me amava e, na minha concepção, as pessoas que se amam desejam ter filhos. Não pensei que isso seria um problema.

Então, após pouco mais de um ano de casamento, finalmente sentei com Michael para conversarmos.

– Quero ter uma família. Desejo ter filhos – eu disse.

Michael olhou para o chão e depois para mim.

– Não tenho interesse em ter outro filho – afirmou.

Eu esperava que houvesse um pouco de discussão, mas aquele tom direto, a determinação, foi um choque. Disse a ele o quanto era importante para mim ter um filho e que tinha certeza de que seria uma mãe maravilhosa, e perguntei se ele não tinha nem um pouco de interesse em saber como seria um filho nosso.

– Nem um pouco – respondeu.

Michael tinha dois filhos crescidos e os amava profundamente. Tinha muito orgulho deles, mas na sua opinião o trabalho com os filhos já havia terminado. Disse a ele que eu cuidaria de tudo; levantaria para alimentar o bebê, pagaria uma babá, tudo que pudesse facilitar ao máximo a nossa vida. Porém, Michael permaneceu irredutível, da mesma maneira que estava em relação a Maurice. Continuei insistindo e, por volta da nossa trigésima discussão a respeito do assunto, ele deu sua palavra final.

– Não há o que discutir, Laura. Não terei outro filho de forma nenhuma.

Perdi as forças diante dele e fiquei muito abalada. Tinha uma ferida aberta, cuidei dela o máximo que pude e esperei que ela se curasse e desaparecesse. Mas a causa do ferimento continuou sendo uma fonte de dor. Com o passar do tempo, essa dor se tornou um ressentimento, que tentei afastar para poder continuar vivendo. Mas a dor continuou lá, escondida mas não muito distante.

Então, aos poucos, abri mão do meu sonho. Sempre quis ter dois filhos, porque nunca quis que meu filho ou filha se sentissem sozinhos. Quando completei 42 anos, percebi que tinha tudo, mas não tinha tempo hábil para engravidar de dois filhos. Ainda que, por um milagre, eu conseguisse convencer Michael, provavelmente teria apenas um. Pareceu-me um pouco de egoísmo da minha parte – eu estava pensando apenas em mim e não na criança. Não me lembro exatamente quando aconteceu. Talvez não tenha sido um momento, um dia ou uma semana; mas, com o passar do tempo, o meu sonho de anos, de uma vida toda, simplesmente deixou de existir.

~

Todas as histórias, sejam sobre o que forem, são sobre perda. E talvez sejam histórias sobre o que deveria ter acontecido. Eu queria pais felizes e amorosos dançando valsas na sala de estar. Queria desesperadamente ter meus próprios filhos. Todos queremos relacionamentos saudáveis e bem resolvidos, e às vezes isso simplesmente não acontece. Mas a beleza da vida é que, nessas decepções, estão escondidas as maiores bênçãos. Tudo o que perdermos e tudo aquilo que deveria ter acontecido enaltece o que temos de verdade.

Penso a respeito do meu pai e sobre como a nossa relação era dúbia. Ele dominou minha infância, mas quando cresci me recusei a aceitar que ele exercesse o mesmo poder sobre mim. Simplesmente o ignorei. Ao mesmo tempo, me sentia mal por ter de abandonar os meus irmãos e deixá-los sozinhos cuidando dele durante sua velhice. Não queria fugir da minha responsabilidade. Então, eu passei a voltar para Long Island pelo menos uma ou duas vezes por mês para vê-lo, ajudar a arrumar a casa e fazer qualquer coisa para ajudar Nancy – que era quem mais cuidava do meu pai. Steven, que ainda morava com ele, tinha de suportar todo o peso da amargura do velho.

Na primavera de 1987, fui até Long Island e limpei a casa de cima a baixo. Lavei as roupas, dobrei os lençóis, recolhi as bitucas de cigarro. Estava quase terminando a limpeza quando ele chegou de algum lugar. Às vezes, ele ficava feliz em me ver e tudo corria muito bem; mas, se ele estivesse furioso com algo, agia da mesma maneira de sempre: praguejava, criticava, desdenhava. Naquele dia, ele começou a pegar no meu pé imediatamente. Não me lembro o que ele disse, acho que bloqueei suas palavras da minha memória. Estava cansada e irritada, então perdi o controle e o enfrentei:

– A vida inteira você foi um valentão – eu disse, enfurecida. – Você torturou a minha mãe, e por isso ela morreu de câncer. Atormentou Frank e por isso ele é gago e tem uma vida tão difícil. Você maltratou todos nós e eu estou de saco cheio. Não vou mais suportar isso!

Meu pai ficou chocado e ficou em silêncio. Saí da casa e nunca mais falei com ele.

Aproximadamente um ano e meio depois, apenas a algumas semanas do meu aniversário de 38 anos, Annette me ligou para avisar que meu pai estava doente. Ele já estava com a saúde um pouco debilitada, mas agora estava ficando mais fraco. Tínhamos de pedir as refeições dele na Meals on Wheels[11]. Os médicos pediram que ele parasse de fumar, mas ele nunca parou. Mesmo quando estava respirando com a ajuda de um balão de oxigênio em casa, não parou de fumar; os voluntários da Meals on Wheels se recusavam a entrar na casa porque tinham medo de que ela explodisse. A capacidade de respiração do meu pai ficava cada vez pior, então minhas irmãs o levaram para o hospital. Elas me ligaram para avisar que o estado de saúde dele havia piorado. Não fui visitá-lo, e os meus irmãos compreenderam o motivo. Porém, eles se preocupavam que, caso eu não o visse antes que ele morresse, poderia sentir remorso. Disse a eles que estava em paz com a minha decisão e eles nunca me aborreceram por isso.

Annette passava a maior parte do tempo com ele no hospital. Ela estava lá quando a respiração dele começou a ficar barulhenta, e ele balbuciou:

– Vou morrer.

Mas sua respiração já tinha estado pior antes e ele já tinha dito aquilo muitas vezes. As enfermeiras disseram para minha irmã voltar para casa e retornar no dia seguinte pela manhã.

Mais tarde, ainda naquele dia, elas ligaram para Nancy e disseram que ele estava pior. Ela correu até o hospital, mas, quando chegou lá, ele já havia falecido. Meu pai morreu sozinho, sem a companhia dos filhos, e não pude deixar de pensar sobre as horas finais de minha mãe, sobre como todos nós estávamos lá segurando as suas mãos e dizendo o quanto a amávamos. Até hoje, não posso dizer que me arrependo de não ter falado com meu pai nos seus últimos meses de vida. Sei que pode soar como insensibilidade de minha parte, mas é a verdade. Fico extremamente triste porque ele morreu sozinho. Fico triste porque sei o tipo de pai que ele poderia ter sido.

---

[11] Empresa americana que faz serviço de entrega de refeições na residência de pessoas com restrição de mobilidade. (N.T.)

Nenhum dos filhos sabia o que dizer durante o seu funeral. Por fim, Steven, o mais novo, foi quem escreveu um discurso para ele e leu aos presentes. Steven, naquela época com 25 anos, falou sobre como o nosso pai amava *The Honeymooners*, e como, tal qual o programa, ele tinha os seus próprios seguidores: as pessoas que bebiam no seu bar. Falou também sobre o tempo em que ele passou trabalhando no bar Picture Lounge e no bar boliche Funzy's Tavern, e lembrou da sua facilidade em fazer amigos por onde passava:

– Ele não era um simples barman, era mais que isso. Tinha muita facilidade para memorizar os rostos e talento para lembrar da bebida preferida de cada cliente. E tinha o dom da palavra.

Foram palavras lindas, que nos fizeram chorar e que eram cem por cento verdadeiras. Meu pai era um homem incrível – nós apenas não tivemos a chance de conviver com esse lado dele como deveríamos.

Alguns anos depois, Steven me contou que, em uma das conversas que teve com o pai, perguntou-lhe por que ele agia daquela maneira.

– Não sei – meu pai respondeu. – Nunca tive a intenção de prejudicar vocês. Peço desculpas por ser assim.

Meu pai desculpou-se com Steven diversas vezes naquele dia e, dessa forma, desculpou-se com todos nós. Eu sabia que ele tinha se arrependido das coisas que fez e também tinha consciência de que ele não conseguia mudar quem ele era. Sabia que ele amava a minha mãe, muito mais do que ele possa um dia ter demonstrado a ela. Disse a mim mesma que no céu, meu pai não poderia mais atormentá-la. No céu, ele não falharia... Talvez, no céu, eles dançassem valsa juntos.

~

Um ano após o falecimento de seu pai, Maurice conheceu uma garota chamada Meka. Um de seus tios estava namorando a mãe dela e eles se encontravam o tempo todo. A princípio, Maurice não tinha gostado dela; era muito espalhafatosa e briguenta. Viu que ela tinha um lado doce, mas adorava uma briga, e Maurice estava cansado de confusão em sua vida. Certa noite, Meka o beijou. Ele disse que não gostava dela, mas ela não desistiu e, em pouco tempo, Maurice estava sentindo algo que nunca sentira antes.

Lembro-me que Michael e eu convidamos Maurice e Meka para jantar. Ela era muito amável e me contou que gostava de ler. Havia muitas coisas nela de que eu gostava, mas tanto ela como Maurice eram muito jovens e, no final daquele jantar, fiquei preocupada. Temia que ela engravidasse e não conseguia imaginar Maurice tendo que sustentar uma criança. Depois, pedi a ele que tomasse cuidado e ele me prometeu que o faria. Mas eu não conseguia afastar a sensação desconfortável de que algo aconteceria.

Naquele momento, a vida de Maurice tinha atingido uma estabilidade. Sua mãe voltara a usar drogas, mas seu nível de dependência já não era tão alto. Logo que completou dezoito anos, Maurice pôde se candidatar a ter o seu próprio apartamento na Section 8. Darcella não poderia se inscrever mais – a pena de prisão lhe tirou esse direito –, mas essa era uma boa oportunidade para Maurice ajudar a mãe. Poderia ser contemplado com o apartamento e permitir que Darcella morasse nele. Preencheu todos os papéis e, em um dos dias mais importantes de sua vida, um oficial da prefeitura entregou-lhe as chaves do apartamento de dois quartos na Hillside Avenue. Maurice atravessou a porta do apartamento, ajoelhou-se e beijou o chão.

Havia dez anos que ele não morava em uma casa. Agora, ele tinha uma.

Maurice pediu à mãe que mudasse para o novo apartamento enquanto ele foi morar com Meka no Brooklyn. Eles brigavam muito, mas também se divertiam muito na companhia um do outro. Gostavam de ir ao parque de diversões Coney Island e Maurice ficou orgulhoso ao ganhar um urso de pelúcia branco gigante em um jogo. O dia em que descobriu que Meka estava grávida foi um dos dias mais importantes de sua vida. Nunca tinha pensado em ter um filho, nem mesmo se imaginado balançando uma criança no colo, mas, agora que se tornaria pai, sentia-se eufórico. Ele não sabia por que a paternidade lhe significaria tanto, só sabia que se sentia assim.

Maurice estava lá, no St. Vincent's Hospital, no centro de Manhattan, quando Meka deu à luz um menino lindo e saudável. Maurice segurou o filho pequeno e contorcido e beijou a testa dele. Havia dito a Meka que gostaria de escolher o nome do garoto e ela concordara, dizendo que gostava do nome.

Então, naquela noite, ele segurou o seu primogênito nos braços. Deu-lhe o nome de Maurice.

No dia seguinte, ele saiu do hospital e foi de metrô até seu apartamento para visitar sua mãe. Darcella estava morando lá com LaToya e o filho mais novo dela. Outra sobrinha de Maurice, filha mais nova de Celeste, também estava lá, visitando-as. Maurice cruzou a esquina, olhou para o apartamento e parou de repente no meio do caminho.

Tudo o que viu foi buracos carbonizados no lugar das janelas do apartamento de sua mãe. Houvera um incêndio.

Maurice subiu as escadas correndo, desnorteado, à procura de sua família. Seu apartamento fora destruído pelo fogo. Perguntou aos vizinhos sobre sua mãe, mas ninguém soube informar o paradeiro dela. Somente mais tarde, naquele mesmo dia, Maurice descobriu que a mãe, a irmã, o sobrinho e a sobrinha estavam sãos e salvos. Também descobriu o que havia causado o incêndio.

Seus sobrinhos estavam brincando com um isqueiro e colocaram fogo no urso de pelúcia gigante de Maurice; o apartamento foi tomado pelas chamas.

Em um instante, Maurice estava sem casa novamente.

~

Quando Maurice me contou que teve um filho, não fiquei muito feliz. Claro que eu sabia que um dia ele teria filhos, mas ele tinha apenas dezenove anos e eu o considerava muito jovem e sem uma vida estável para criar uma criança. Havia dito a ele que trazer um filho ao mundo diante das circunstâncias em que ele vivia era algo irresponsável e que eu temia que o ciclo que consumiu os seus pais pudesse se repetir com ele. Maurice entendeu como eu me sentia e tudo que ele me disse foi que tudo ficaria bem:

– Não se preocupe, Laurie. Eu posso lidar com isso.

Diante da minha reação, ele não me convidou para visitar seu filho, nem mesmo o trouxe quando nos encontramos na cidade. Gostaria de me sentir mais feliz e de dar-lhe todo o meu apoio, mas eu não conseguia. Preocupava-me que a responsabilidade da paternidade levasse Maurice a tomar decisões erradas. Também sentia dificuldade em ver Maurice como um homem adulto. Eu o conhecera oito anos atrás, quando ele era apenas uma criança. E aqui estava ele agora, era pai, responsável por educar o seu próprio filho. Para ser franca, aquela ideia me aterrorizou. Acreditava em Maurice e sabia que ele era especial, mas sentia que qualquer ganho obtido por ele desde que nos conhecemos era frágil; não por causa dele, mas por causa do mundo em que ele vivia.

Também me perguntei se o meu problema com filhos estava de alguma forma ligado com a minha reação. O filho de Maurice nasceu no mesmo momento em que ficava muito claro para mim que eu nunca teria um filho. Algo que eu desejava mais que tudo estava se esvaindo e não havia nada que eu pudesse fazer. E ali estava Maurice, jovem demais para ser pai, inapto para assumir tal responsabilidade, e ainda assim tendo um filho aos dezenove anos. Será que alguma parte de mim teria se ofendido ao ver a falta de importância que Maurice dava à paternidade? Estaria eu com raiva de Deus pela injustiça que tudo aquilo aparentava? Talvez.

Algo que me ajudou a lidar com isso foi observar o entusiasmo de Maurice em relação ao filho. Ele disse que desejava para a criança tudo o que ele nunca tivera e que não queria que ela tivesse de enfrentar todos os problemas que ele mesmo enfrentou. Os olhos de Maurice brilhavam sempre que falava sobre o filho. Chamava-o de Júnior, me mostrou as fotos e me prometeu inúmeras vezes que seria um bom pai para o garoto. Percebi que, se eu realmente confiava em Maurice, tinha que acreditar nele até mesmo nos tempos mais difíceis. Tinha que deixar Maurice viver sua própria vida.

Certo tempo depois do primeiro aniversário de seu filho, Maurice e eu nos encontramos em Manhattan. O Natal estava se aproximando e o vento de inverno começava a ficar forte e frio. Maurice e eu conversamos sobre Meka, Júnior e sobre a vida deles.

Então, Maurice fez algo que nunca havia feito antes.

Pediu-me dinheiro emprestado.

Contou que Meka gostara muito de um casaco de inverno que tinha visto e ele queria presenteá-la. O casaco custava trezentos dólares.

– Maurice, trezentos dólares é um valor muito alto para um casaco – eu disse.

– Mas ela viu e gostou e eu quero dar esse presente pra ela.

Nunca pensei sobre o que faria se um dia Maurice me pedisse dinheiro. Lembrei de quando pedi que ele escolhesse entre o dinheiro e os lanches e ele preferiu os lanches. Havia gasto milhares de dólares com Maurice, mas a nossa relação nunca envolveu dinheiro. Fiquei surpresa ao vê-lo pedindo isso agora.

Também estava me sentindo culpada por não passar tanto tempo com ele, e por ter reagido mal quando ele me contou sobre seu filho, então disse a ele que faríamos um trato.

– Vou te dar duzentos dólares e emprestar os outros cem. Você terá de pagar aos poucos. Que sejam 25 centavos por semana; o importante é que você me pague. Entendeu, Maurice?

– Com certeza – ele disse. – E muito obrigado, Laurie.

Fomos a um caixa eletrônico, saquei os trezentos dólares e Maurice me abraçou e agradeceu novamente. Em seguida, nos despedimos.

Na segunda-feira seguinte, quando combinamos de nos encontrar, Maurice não apareceu. Nem na próxima segunda. Um mês se passou, depois outro.

E foi assim que Maurice desapareceu da minha vida.

capítulo 17

a floresta escura

Durante os oito anos em que Maurice e eu nos conhecíamos, o período mais longo que ficamos sem nos falar foram três semanas. Cada um de nós se tornou uma parte automática da rotina do outro, e as nossas conversas e encontros eram, pelo menos para mim, essenciais na minha vida. Até que, de repente, Maurice sumiu. Sabia que ele morava no Brooklyn, mas não tinha seu endereço – ele sempre me manteve longe de sua casa e preferia me encontrar sempre em Manhattan. Eu não tinha o telefone dele. Não existia celular ainda, e eu nem mesmo sabia se ele tinha um telefone em casa. Depois que me mudei para White Plains, Maurice sempre me ligava no trabalho às segundas-feiras para confirmar o nosso encontro. Sempre contei com a ligação dele; fosse cedo ou tarde.

Mas até aquele momento, nem um sinal. Maurice não compareu aos nossos encontros por oito semanas seguidas, até que chegou o meu aniversário e tive certeza de que ele apareceria. Desde que o conheci, ele nunca havia esquecido de me ligar para desejar feliz aniversário. Mas aquele dia se passou sem sequer um sinal dele. Comecei a procurar na lista telefônica e ligar para todas as pessoas com o sobrenome Mazyck, mas sem sucesso. Chegou o Dia de Ação de Graças, o Natal, meu outro aniversário, e nenhuma notícia dele. Pedi à minha assistente Rachel, da revista *Teen People*, onde eu estava trabalhando, que me procurasse imediatamente caso qualquer pessoa chamada Maurice me ligasse. Nas ruas de Manhattan, via pessoas nas esquinas ou dentro dos ônibus que pareciam com Maurice; mas nunca era ele. Comecei a pensar na possibilidade de que ele tivesse desaparecido da minha vida para sempre. Cheguei até a pensar que ele poderia estar morto.

Ao olhar para trás, a história que aconteceu com Maurice me traz à mente um dos grandes temas da mitologia – um tema que o estudioso Joseph Campbell chamou de a jornada do herói. Trata-se de uma viagem que muitos de nós precisam fazer, de uma forma ou de outra. Acontece no caminho de descoberta de quem somos e para que existimos. Quando somos jovens e cheios de energia, mas ainda muito inocentes em relação ao mundo, somos atraídos para uma floresta escura e misteriosa – uma floresta que nos seduz com a promessa de grandes realizações. Ao chegarmos lá, enfrentamos desafios muito maiores do que poderíamos imaginar e a maneira como lidamos com esses desafios é o que determina as pessoas que nos tornaremos. Se conseguirmos sair da floresta com vida, nos tornamos mais sábios e fortes e os dons que trazemos conosco transformam o mundo em um lugar melhor. A jornada do herói é uma jornada de autodescoberta.

Maurice desapareceu da minha vida para poder entrar na floresta escura.

~

A jornada de Maurice começou com uma traição. Ele sabia que seu pai era um traficante e obviamente sabia que sua mãe era uma viciada. Ele sabia que todos os seus tios e praticamente todos os adultos presentes em sua vida tinham envolvimento com drogas. Mas havia uma pessoa que não tinha sido arrastada por esse turbilhão e que, em meio a tudo isso, conseguira se manter limpa. Essa pessoa era a avó de Maurice.

Em boa parte de sua juventude, Maurice acreditou que Rose não tinha nenhuma relação com as drogas. Ela era aquela que cuidava de tudo enquanto Darcella estava vendendo drogas ou na prisão. Era ela quem consolava Maurice, dizia-lhe o quanto ele era um bom menino e pedia-lhe que não se preocupasse, pois sua mãe voltaria para casa em breve por amá-lo mais que tudo. Sua avó era a rocha em meio a toda a loucura de sua família. Quando era garoto, Maurice via que a avó nunca dormia à noite; ela passava a noite inteira sentada em uma cadeira e ele perguntava o motivo.

– Porque tenho que cuidar das minhas crianças. Estou sempre cuidando de vocês – ela respondia.

Maurice acreditava no que a avó dizia. Rose era sua protetora.

Então, na época em que seu filho nasceu, Maurice soube que a avó tinha câncer e que estava sob tratamento em um hospital. Aquilo já era um grande choque para ele, mas foi então que ouviu uma de suas tias dizendo que Rose tinha pedido um papelote de droga.

– Do que você está falando? – Maurice perguntou à tia. – O que ela faria com um papelote?

A tia de Maurice contou-lhe que Rose usava drogas o tempo todo.

Ele ficou desnorteado. Aos poucos, foi juntando os fatos: ela ficava acordada a noite inteira para poder usar as drogas sem que os netos percebessem; quando ela caía no sono e dormia o dia inteiro. Maurice ficou com raiva e se sentiu traído, e correu até o hospital para confrontar a avó. Chegou lá muito antes do horário de visitas, mas, como já estivera lá antes, conhecia o caminho. Foi até o subsolo e de lá subiu ao quinto andar. Chegou no quarto de Rose e a encontrou na cama com um aparelho de respiração sobre ela; a máscara de oxigênio havia caído e seu jaleco estava imundo. Maurice teve a impressão de que ninguém estava cuidando dela, e começou a chamar por um médico ou enfermeira para que alguém viesse vê-la. Mas dois seguranças chegaram e agarraram Maurice, colocando-o para fora do hospital.

A avó de Maurice morreu naquela noite. Ele não conseguiu falar com ela.

Carregou consigo a traição por um tempo, mas depois percebeu que a avó não o traíra. Sim, ela havia sucumbido às drogas, mas mantivera o seu vício em segredo, para que Maurice pudesse enxergar apenas a melhor parte dela. E ela *havia sido* sua protetora; mantendo-o longe das drogas, até mesmo no dia em que lhe entregou um cigarro de maconha para logo em seguida o jogar fora. Rose viu algo especial em Maurice e fez tudo o que podia para protegê-lo, até o dia em que morreu.

Mas agora ela havia partido. Não poderia mais ser a sua protetora. Foi quando percebeu que não era mais ele quem precisava de proteção.

Tinha uma família agora, e precisava se tornar o protetor dela.

De fato, sua família estava crescendo. Quatro meses após o nascimento de Júnior, Maurice e Meka se separaram; eles brigavam demais. Maurice presenciara os pais brigando o tempo todo e ele não queria isso para seu filho. Concordaram em educar Júnior juntos, mesmo estando separados. Então, Maurice conheceu uma garota muito bonita chamada Michelle. Apaixonou-se. Michelle gostava do jeito quieto e reservado de Maurice – diferente dos outros garotos, ele não precisava chamar atenção. Maurice viu a mesma qualidade nela: era inteligente, centrada, segura de si mesma. Michelle era rígida; rápida para brigar e devagar para confiar. Para ela, aceitar certas coisas significava perder o controle e isso era algo que ela jamais faria. Maurice conversou com ela:

– Nem sempre você vai ter tudo o que quiser, mas, se você ficar ao meu lado, sempre terá o que precisar. Divida os momentos difíceis comigo e confie em mim; vamos superar tudo juntos.

Michelle olhou-o nos olhos e disse:

– Ainda bem que tenho você.

– E eu, você – disse ele.

Os dois mudaram-se para um apartamento na Washington Avenue, no Brooklyn, e tiveram um filho. Deram-lhe o nome de Jalique.

Maurice não me contou sobre Jalique quando o bebê nasceu. Tinha visto a minha reação por causa de Júnior e não se sentia confortável para me contar sobre o outro filho. Quando me pediu o dinheiro emprestado, não foi para comprar um casaco para Meka.

O dinheiro serviu para comprar dois casacos: um para Júnior e outro para Jalique.

O que incomodava Maurice naquela época era o fato de pensar que estava me decepcionando. Achou que eu o considerava irresponsável e acho que, de fato, eu estava pensando assim. Gostaria de poder voltar no tempo e não ter sido tão rígida com ele. Não pensei que os meus sentimentos poderiam chateá-lo tanto. Talvez eu devesse saber; mas não sabia. Um dos motivos pelos quais ele não havia me ligado foi justamente o fato de que não suportava a ideia de ser uma decepção para mim.

O outro motivo foi que ele percebeu que precisava encontrar uma maneira de sustentar sua nova família. Não era mais aquela criança pequena que comia bife e biscoitos comigo; agora ele era um pai. Sabia que não poderia depender de mim, nem de qualquer outra pessoa para alimentá-lo, vesti-lo ou apoiá-lo. Tinha de encontrar uma maneira de fazer isso por conta própria. Foi quando tomou uma difícil decisão: ficaria distante de sua família por um tempo e iria até a Carolina do Norte para tentar abrir seu próprio negócio.

O plano de Maurice consistia em trazer da cidade jeans e outros tipos de roupas e vendê-los na Carolina do Norte, que estava muitos passos atrás de Nova York em relação à moda. Se conseguisse se estabelecer, tudo que precisaria fazer era vender as roupas e trazer o dinheiro para Nova York. Michelle foi totalmente contra a viagem; ela não gostava das pessoas que estavam acompanhando Maurice. Ele viajaria com duas pessoas que tinham envolvimento com o tráfico e Michelle temia que eles estivessem indo à Carolina do Norte para vender drogas. Confiava em Maurice e acreditava que ele jamais faria isso, mas tanto ela como ele sabiam que estar na companhia de más pessoas poderia lhe trazer muitos problemas. "Essa viagem não trará nada de bom", pensou Michelle, e implorou que Maurice não fosse.

Porém, Maurice sentiu que aquilo era algo que deveria fazer. Beijou os filhos, disse a Michelle que a amava e pegou um ônibus da Greyhound em direção ao Sul.

Foi até Raleigh e Fayetteville, Greensboro e Clinton. Sentia saudades de Michelle e dos filhos; ligava para casa sempre que podia, prometendo que voltaria em breve. Não contou que as coisas na Carolina do Norte não estavam indo bem. Os homens que o acompanharam na viagem se envolveram em uma confusão com traficantes e também arranjaram problemas com garotas comprometidas e com seus respectivos namorados. Havia brigas constantes e ameaças. Maurice percebeu que, por mais que tentasse ficar longe dessas confusões, muitas vezes encontrava-se bem no meio delas. Tinha visto como o seu pai agia nesse tipo de situação e como os seus tios Limp e Dark eram durões quando precisavam ser, então o seu instinto dizia que devia ficar e lutar – devia ser o cara durão de Nova York que podia lidar com aqueles gangsteres. Haviam lhe ensinado como provar para as pessoas que não era um idiota. E ele precisava fazer isso o tempo todo, enquanto estivesse cercado por maus elementos.

Ficou por um tempo em um trailer abandonado com um homem que se chamava Crickett. Percebeu que ele tinha diversas armas. Quando as viu, percebeu que aquele trailer não era lugar para ele. Estava começando a entender que aquele tipo de vida não era para ele. Certa manhã, participou de um culto na igreja pentecostal e, ao término, o pastor se dirigiu até ele e disse que queria conversar.

– Filho, não sei o que você está fazendo aqui, mas o Senhor proclamou: "É hora de você voltar para casa". Ele tem um trabalho para você lá. Vá para casa.

Maurice deu de ombros. Ainda tinha negócios para fazer.

– Se você não for embora esta noite, as consequências serão terríveis. O seu lugar é na sua casa – o pastor continuou.

Naquela noite, enquanto estava ali sentado conversando com Crickett e seus amigos, Maurice ouviu o rangido de rodas de carro. Mais cedo, um dos homens que viajaram com Maurice tinha brigado com uma mulher e agora os irmãos e primos dela estavam lá para acertar as contas. Maurice ouviu gritos e ofensas e pancadas no trailer. Assim que saiu de lá, ouviu o barulho de um tiro.

Escondeu-se atrás de um carro estacionado, mais precisamente ao lado do pneu dianteiro. Escutou o barulho de uma bala bem próximo a ele; outra atingiu o para-brisa do carro, quebrando-o. O barulho dos tiros era ensurdecedor; tanto que ele mal conseguia pensar. Maurice viu Crickett e seus amigos revidando os tiros; se escondiam para se defender e atiravam, se escondiam e atiravam... Maurice rezou para que aquele tiroteio cessasse, mas sem sucesso – centenas de tiros foram disparados naquela noite.

Então Crickett empurrou uma arma para Maurice.

O pai de Maurice, assim como seus tios, teriam pego aquela arma. Agora, ao que parecia, era a vez dele. Maurice se aproximou do pneu daquele carro e pensou sobre o que o pastor da igreja havia lhe dito: "consequências terríveis". Pensou em Michelle esperando por ele no Brooklyn, pensou em seus filhos Junior e Jalique, e lembrou que quando os segurava nos braços sentia-se um verdadeiro homem. Nada mais no mundo lhe proporcionava essa sensação.

E pensou em mim.

Durante o tiroteio, não houve tempo para pensar sobre todas as vezes que eu o tinha importunado. *Não se atrase. A pontualidade é essencial. Fumar faz mal. Faça as lições da escola. Sente-se com a coluna ereta. Lave suas roupas. Seja educado.* Não houve tempo para pensar nas viagens à casa de Annette, nos jantares no Hard Rock e nos biscoitos quentinhos. Também não foi possível lembrar do momento em que ele disse que me amava e que eu percebi que o amava também. Com o barulho dos disparos ecoando em seus ouvidos, Maurice não pôde pensar sobre o primeiro jogo de beisebol que assistimos juntos, tampouco no primeiro jogo que os filhos assistiriam junto dele.

Em meio ao caos e àquela chuva de balas, com a arma carregada aos seus pés, Maurice conseguia pensar apenas em quatro palavras: "Este não sou eu".

Não pegou a arma. Depois de vinte segundos que mais lhe pareceram vinte horas, o tiroteio cessou e os atiradores se foram. Crickett olhou para Maurice, desapontado:

– Por que você está chorando? – indagou.

– Tenho filhos me esperando em casa – disse. – Estou indo embora.

Quando amanheceu, Maurice estava em um ônibus voltando para a cidade de Nova York.

~

Entrou em seu apartamento, viu Michelle e os filhos e fez uma pequena oração de agradecimento. Nunca sentira nada tão especial quanto o toque dos seus filhos puxando-o e tentando subir em seu colo para abraçá-lo.

Ficou muito feliz também ao rever a mãe. Pensava nela com frequência enquanto esteve ausente, e estava muito preocupado porque sabia que ela estava doente. Pouco tempo depois de cumprir a pena na prisão, Darcella chamara Maurice para conversar e lhe dera uma notícia ruim.

Ela havia contraído HIV.

Maurice ficou desnorteado ao ouvir isso. Tudo que ele sabia sobre o HIV era que significava uma sentença de morte. A partir daquele momento, Maurice começou a se fortalecer para o dia da morte da mãe. Tentou imaginar como se sentiria, na tentativa de se preparar para quando o momento finalmente chegasse.

O que tornou mais difícil ainda de aceitar a doença dela foi o fato de que, após uma recaída leve, Darcella tinha se livrado das drogas de uma vez por todas. Ela tinha feito um tratamento de desintoxicação intensa e Maurice ficara sem notícias por três meses. Depois disso, Darcella passou por uma clínica de reabilitação chamada St. Christopher, no Bronx. Maurice a visitou lá e viu que ela estava lúcida, com os olhos claros, vivos, cheia de vida, como nunca esteve antes. Todas as agulhas e pedras de crack, todos os traficantes e policiais, todas as noites que a mãe ficava esparramada em uma cadeira virando os olhos até as pupilas quase saltarem para cima – tudo aquilo era uma vida que agora ela tinha deixado para trás.

– Não quero mais essa vida – ela dizia.

Para Maurice, a sobriedade da mãe era como um milagre. Darcella mimava os netos, contava histórias a Júnior, cantava para Jalique, levava-os ao Big Apple Circus, e os enchia de carinho e atenção. Maurice ficava muito feliz com isso. Uma de suas melhores lembranças foi o seu primeiro aniversário depois que a mãe ficou limpa. Maurice deu uma festa. Seus filhos, irmãs, primos e sua mãe, todos compareceram, divertiram-se, cantaram, riram. "É assim que uma festa de aniversário deve ser", pensou. "Isso é bom... É muito bom."

Maurice sempre soube que sua mãe o amava. Teve a certeza disso no dia em que ela apareceu na casa do pai com um martelo e o pegou de volta para morar com ela. Sabia que ela havia feito o melhor que podia para protegê-lo das drogas. Nunca se sentiu decepcionado com ela, nem nunca achou que ela tinha falhado de alguma forma. Ela estava doente, era verdade – uma doença que se apoderou dela como o diabo se apodera de uma pessoa. Mas mesmo diante de tudo isso, ela manteve a família unida e agora Maurice, seu filho, tinha sua própria família. Maurice nunca se sentiu enganado, apenas abençoado.

Pouco depois de voltar da Carolina do Norte, Maurice recebeu uma ligação de LaToya dizendo que não via a mãe há dias. Maurice entrou em pânico. Tinha certeza de que ela não estava usando drogas novamente. Tinha *certeza* de que ela não voltaria a fazer isso. Mais tarde, naquele mesmo dia, recebeu uma ligação de um funcionário da Woodhull Medical and Mental Health Center, um centro médico localizado no Brooklyn. Sua mãe sofrera um derrame cerebral e caíra na rua. Quando os paramédicos chegaram, ela havia sofrido uma parada cardíaca. Agora ela estava em coma.

Maurice foi visitá-la no hospital todos os dias. Ela oscilava entre momentos de consciência e inconsciência, e às vezes abria os olhos e movimentava os braços, mas respirava com a ajuda de aparelhos e não conseguia falar. Então, Maurice falava por ela. Disse que ela poderia se sentir orgulhosa dos filhos, suas filhas estavam bem e já tinham as suas próprias famílias. Darcella sabia que Maurice também tinha a sua própria família e sabia cuidar de si mesmo.

Ele leu para ela a Sagrada Escritura, Salmo 51:

Tem piedade de mim, ó Deus, por teu amor!

Por tua grande compaixão, apaga a minha culpa!

Lava-me da minha injustiça

E purifica-me do meu pecado!

Maurice deixou a Bíblia aberta no Salmo 51 e a colocou próxima à mãe, em seu leito. Saiu do hospital crente de que ela estava melhorando e que em poucos dias estaria junto dele e de sua família novamente.

Mas, naquela noite, às quatro da manhã, recebeu uma ligação. Sua mãe havia falecido.

Maurice foi chamado para reconhecer o corpo no hospital. Ele não queria, mas sabia que precisava ir. Ao ver o corpo da mãe, surpreendeu-se com a sensação que teve. Sentiu-se livre. Darcella estava com a feição serena e tranquila, como se estivesse livre de todos os fardos que havia carregado por tanto tempo. Maurice inclinou-se, beijou-a e abraçou-a. Despediu-se com um adeus.

~

Apenas alguns dias depois disso, eu estava no meu escritório no edifício Time & Life quando a minha assistente Rachel apareceu na porta da minha sala, entusiasmada, dizendo que Maurice estava em uma ligação querendo falar comigo.

– Meu Deus! – eu disse em voz alta. – Passe a ligação, por favor!

Havia mais de dois anos que eu não tinha notícias de Maurice. Não tinha a menor ideia de onde ele estaria, tampouco do que poderia ter acontecido. Meu coração batia forte quando peguei o telefone.

– Maurice? É você?

– Laurie – ele respondeu, e tive a impressão que estava chorando.

– Maurice, você está bem? Está tudo bem?

– Minha mãe morreu.

Contou-me como a mãe havia se tratado, ficado limpa e então sofrido um derrame cerebral, e que ele teve de reconhecer o corpo no hospital. Disse ainda que estava triste pela morte da mãe, mas feliz por saber que ela descansava em paz.

E depois disse:

– Laurie, a minha mãe agora é você.

capítulo 18

a última prova

Maurice me ligou logo que chegou em casa após o funeral de sua mãe. Disse que pensou em me ligar várias vezes ao longo dos anos que se passaram. Sentia-se constrangido pelos cem dólares que me devia.

– Maurice, como você pôde pensar que cem dólares significariam mais pra mim do que você? Fiquei muito, muito preocupada com você.

– Me desculpe. Eu só tive que me afastar pra resolver umas coisas.

Contou-me que, depois da morte da mãe, começara a refletir sobre como havia poucas pessoas em sua vida que realmente se preocupavam com ele. Perdeu uma delas quando a avó morreu e a outra quando a mãe faleceu. Depois disso – disse ele –, não suportaria perder mais uma. E então resolveu finalmente me ligar.

Marcamos um encontro para o dia seguinte e nos encontramos em um restaurante para conversar sobre tudo que havia acontecido em nossas vidas. Quando vi Maurice, ele estava com aparência mais madura; agora era um homem. Mas o seu sorriso grande e vasto era o mesmo de sempre, o mesmo do dia em que fomos ao McDonald's. Maurice contou-me que a mãe perdera o apartamento da Section 8. Contou também sobre os filhos e sobre como, na Carolina do Norte, encarou a linha divisória entre os dois possíveis caminhos que poderia seguir em sua vida. Lá, ele chegou o mais próximo que poderia do caminho errado. No entanto, ali estava

Maurice, jurando que nunca mais se envolveria em uma situação como aquela.

– Sei bem o que está em jogo agora. Nunca colocarei em risco tudo o que tenho de mais valoroso nesse mundo – disse.

Ao ver Maurice novamente e conversar com ele, senti uma enorme onda de alívio sobre mim. Senti que ele tinha cruzado uma fronteira muito grande. Na vida, há diversos tipos de heróis, mas às vezes você pode ser muito mais que um herói.

Você pode ser um sobrevivente.

Maurice compreendeu que sobreviver diante da dura infância que teve e diante dos perigos das ruas não era uma certeza – na verdade, era um tiro no escuro. E isso não é exagero. Basta ver o que aconteceu com os tios de Maurice.

A saúde do tio Limp ficou muito comprometida por conta de anos do abuso de drogas; ele tem sofrido muito por conta do diabetes e está na prisão por ter violado sua liberdade condicional.

Lentamente, o tio Juice ficou louco por causa das drogas; ainda vende lança-perfume nas ruas.

Tio Old acaba de sair da prisão; cumpriu pena de dez anos por assalto a banco.

O tio Nice está preso em uma penitenciária federal, cumprindo pena de dez anos por tráfico de drogas.

Tio "E" morreu de aids.

O tio Dark está em algum lugar nas ruas. Ninguém sabe exatamente onde.

Houve outras perdas. Pelo menos cinco crianças que cresceram junto de Maurice, no Brooklyn Arms, acabaram viciadas. Ele sabe que pelo menos três de seus primos estão na cadeia. Um deles, muito próximo, tinha a mesma idade de Maurice e cresceu com ele no Brooklyn Arms; foi preso por porte de drogas e, quando saiu da prisão, foi baleado e morto.

Para muitas dessas pessoas que faziam parte da vida de Maurice e que estavam com o destino de suas vidas condenado, não havia como fugir do fardo pesado do passado. Tenho certeza de que muitas, muitas pessoas, assim como eu, entendem muito bem o que é esse fardo. Sei que a luta contra essa tristeza herdada – uma força sempre presente do nosso histórico familiar – pode ser uma batalha eterna que nunca se ganha, apenas se suporta.

Para alguns, essa batalha está fadada a terminar em tragédia.

~

Meu irmão Frank era um excelente atleta quando criança e sempre me perguntei se ele poderia ter se tornado um atleta profissional. Era um excelente jogador de beisebol, ótimo em lutas; era até campeão de boliche. O quarto dele era repleto de troféus brilhantes, pequenos bonecos feitos de ouro balançando seus tacos ou agachados na posição de arremessadores. A paixão de Frank pelos esportes era uma das poucas coisas que poderiam permitir um vínculo com meu pai. Frank sempre disse que uma das melhores lembranças de sua infância foi quando meu pai chegou em casa e lhe entregou dois ingressos para assistir ao jogo do seu time favorito, o Minnesota Twins, contra os Yankees. A paixão pelos esportes poderia ter aproximado meu pai de Frank – ele poderia ter passado várias tardes treinando com o filho a posição de receptor ou ensinando-lhe a posição de base –, mas as coisas não aconteceram bem assim.

Certa noite, meu pai chegou em casa após o trabalho e bateu a porta da frente de casa, o que era um sinal claro de que uma nuvem negra pairava sobre ele. Foi até o quarto de Frank, empurrou a porta e começou a gritar. Frank cobriu a cabeça com o cobertor. Meu pai pegou um dos troféus e arrancou a estátua de um boneco que estava na base. Arremessou os pedaços no chão, pegou outro troféu e fez a mesma coisa. Não parou até que todos os troféus fossem partidos, pisoteados ou arremessados contra a parede. Depois deixou Frank dormir ali, em meio à pilha de troféus quebrados e destruídos. No dia seguinte, depois que voltei da escola, entrei no quarto de Frank. Tudo estava limpo e havia apenas prateleiras vazias onde antes ficava um exército de pequeninos homens de ouro.

Não é de se surpreender que Frank não tenha insistido na prática de esportes quando chegou ao Ensino Médio. Na verdade, ele nem mesmo concluiu os estudos.

Por volta do segundo ano, Frank se perdeu no caminho.

Começou a beber demais e a usar drogas. Quando tinha entre dezessete e dezoito anos, foi para Flórida com alguns colegas e se envolveu em muitos problemas por lá. Não me recordo exatamente o que aconteceu; mas sei que meus pais pagaram fiança para tirá-lo da cadeia e tiveram de substituir um carro que ele havia destruído. Frank não era violento, apenas agitado e às vezes imprudente, e cometia algumas loucuras aqui e ali. Lembro-me que eu estava na casa dos meus pais em Long Island certa noite quando Frank chegou, visivelmente perturbado pelo efeito de alguma droga. Começou a discutir com meu pai e a discussão chegou a um ponto em que Frank fez algo totalmente incompatível com sua personalidade: pegou uma faca de cozinha e ameaçou meu pai. Lembro que minha mãe implorava para que Frank parasse, mas foi meu pai – aquele cujos ataques de fúria não podiam ser interrompidos – quem contornou a situação ao dar um passo para trás, acalmando as coisas e permitindo que a última palavra fosse a de Frank.

Foi a primeira vez que vi meu pai enfrentar uma situação crítica daquela forma.

Não muito depois daquela briga, Frank concordou em se alistar para a Marinha. Esse era o grande desejo de minha mãe. Ela via o quanto ele se sentia perdido e acreditou que a disciplina e a rotina lhe fariam muito bem. Frank, horrorizado com o que tinha feito estando tão chapado, concordou.

No serviço militar, conheceu o mundo. Lembro-me do quão entusiasmado ele estava ao descrever as Seychelles Islands e do quanto surpreendeu a minha mãe ao presenteá-la com um lindo conjunto de porcelana com doze peças, que enviou das Filipinas.

Minha mãe nunca teve um conjunto de porcelana original e Frank se lembrou disso. Ela ficou muito feliz ao receber o presente e ele, com a alegria dela.

Após quase três anos no serviço militar, Frank deixou a Marinha três semanas antes do prazo estabelecido, pois veio ficar com nossa mãe, que já estava muito doente. Ela morreu duas semanas após o retorno dele. Então, Frank passou a trabalhar construindo asas de avião em uma empresa chamada Republic Fairchild, em Farmingdale, Long Island. Apaixonou-se por uma mulher chamada Murlene e pelos dois filhos dela, Darren e Toniette. Parecia que Frank havia conquistado uma vida estável e feliz. Era tímido diante dos adultos, mas era ótimo com crianças, e Darren e Toniette o amavam muito. Ele motivou Darren a praticar esportes e passava tardes inteiras jogando futebol com ele. Quando Darren jogava, Frank ficava sempre na linha lateral do campo; não perdia um jogo dele.

Frank fez questão que Darren tivesse uma prateleira enorme em seu quarto para colocar seus troféus, assim eles poderiam ser admirados eternamente.

Porém, quando Frank tinha trinta e poucos anos, a Republic Fairchild mudou sua fábrica para o Kansas e ele perdeu o emprego. Um ano depois, se separou de Murlene. Frank podia visitar as crianças sempre e continuava sendo como um pai para elas. Por mais de um ano, Toniette continuou morando com Frank, mas, com o passar do tempo, ele começou a se tornar um pai distante. Conseguia trabalhos esporádicos e nunca permanecia muito tempo neles. Frank engordava – chegou a ficar mais de quarenta quilos acima do seu peso ideal –, depois emagrecia e voltava a engordar novamente. Por fim, mudou-se para a Flórida para ficar mais próximo de nossa irmã Annette, e os filhos dela sentiam-se felizes por tê-lo por perto. Frank era divertido, carinhoso e gentil, o tipo de pessoa que você quer abraçar. Os adultos não conseguiam enxergar toda aquela doçura natural, mas as crianças certamente sim.

Aos 41 anos, ele desenvolveu uma tosse grave. Minha irmã pensou que tratava-se apenas de um resfriado forte; Frank, que nunca reclamava de nada, não se preocupou. A verdade é que ele estava muito acima do peso e fumava demais. Não se cuidava como deveria. Era quase como se achasse que o esforço não valeria a pena. Foi para o hospital para se submeter a um procedimento simples; os médicos realizaram exames e disseram-lhe que seu nível de monóxido de carbono estava extremamente alto. Eles não o deixaram ir embora, e Frank teve que permanecer no hospital para realizar mais exames. Ligou para Annette e, quando ela chegou ao hospital, Frank pediu que ela comprasse uma pizza.

– Você está louco? Não pode comer isso! Você está em um hospital! – ela o advertiu.

Ele continuou no hospital a noite inteira, e quando Annette chegou no dia seguinte logo pela manhã para visitá-lo, ele estava respirando com a ajuda de um aparelho. Desenvolveu uma febre altíssima e os antibióticos não estavam surtindo efeito. Os médicos não sabiam ao certo o que havia de errado com o organismo de Frank, e nunca descobriram. Realizavam exames e mais exames e defendiam diversas teorias, mas nunca estabeleceram um diagnóstico. O pneumologista estava confuso. O especialista em tratamento dos rins não chegou a nenhuma conclusão. Tudo o que sabíamos era que o estado de saúde de Frank era crítico e que piorava cada vez mais. Íamos visitá-lo em diferentes horários, e quando entrei no quarto dele pela primeira vez, fiquei chocada. Frank estava pálido, muito acima do peso e respirando com muita dificuldade. Um aparelho o ajudava a respirar e ele não conseguia falar. Voltei para minha casa, mas Annette o visitou duas vezes por dia pelas seis semanas seguintes.

Então, certa noite ela me ligou pedindo que eu fosse até lá:

– Por favor, não posso ficar aqui sozinha – disse.

Fiz uma reserva para o primeiro voo da manhã seguinte. Quando estava aguardando o embarque, recebi um telefonema de Annette:

– Frank morreu.

Lembro-me que fiquei arrasada. Todos nós ficamos. Sobretudo Annette, que estava desnorteada. Frank havia se mudado para a

Flórida para ficar mais perto dela e de sua família. Annette foi visitá-lo o máximo que pôde, mas ainda assim ficou com a sensação de que deveria ter feito mais por ele. Sentiu-se culpada por não perceber que a tosse dele era algo grave; acreditava que de alguma maneira havia colaborado para deixá-lo mal – o que não era nem um pouco verdade. Annette o recepcionou com os braços abertos quando Frank se mudou para a Flórida e, quando ele morreu, ela estava ao lado dele, segurando sua mão. Durante o funeral de Frank, Steven fez um discurso. Ele pediu a Annette que não se sentisse mal e disse que todos nós amávamos Frank incondicionalmente. Mesmo assim, todos sentimos uma parcela de culpa, porque sabíamos que Frank fora o maior prejudicado com os ataques de fúria do nosso pai. Sentíamos que nos refugiamos dos ataques às custas de Frank.

Era impossível não pensar que o dano causado por meu pai foi o que levou Frank a não seguir o curso natural de sua vida.

Os médicos nunca descobriram a causa de sua morte. Próximo ao fim, o corpo dele simplesmente se esgotou – o coração, os pulmões e a alma. A falta de diagnóstico tornava mais fácil acreditar que Frank estivera condenado à morte todo o tempo. Algo em seu interior estava quebrado e ele nunca teve qualquer tipo de certeza nesta terra. O pior de tudo: nunca acreditou ser a pessoa tão boa e digna que sabíamos que ele era. Por vezes, meus irmãos e eu conversamos sobre Frank e lembramos de todas as coisas engraçadas e peculiares a respeito dele: como ele tinha orgulho do seu fusca azul-piscina, que ele comprou novo por 7400 dólares quando a Volkswagen tirou o modelo de linha; como amava os Mets e os Yankees e como Steven enviava a ele a ficha técnica dos jogos enquanto ele estava na Marinha; como, quando criança, ele colocava suas fitas cassete dos Beatles e cantava como se fosse uma estrela do rock.

Steven lembra que, quando tinha dez anos e estava na quinta série, foi chamado à diretoria por um autofalante. Quando chegou à sala do diretor, lá estava Frank, que tinha dezenove anos naquela época, com cara de bravo.

– Você está em apuros. A mãe e o pai estão muito bravos com você – disse Frank.

Frank levou Steven até o carro e os dois seguiram a caminho de casa, mas de repente Frank passou para a pista expressa de Long Island e começou a dirigir para outra direção.

– Para onde estamos indo? – perguntou Steven.

– Espere e verá – Frank respondeu.

Frank o levou ao estádio Shea para assistir ao quinto jogo de 1973 da National League Championship, entre o New York Mets e o Cincinnati Reds. Os Mets ganharam o jogo por 7 a 2 e com isso venceram a série. Próximo ao final da nona rodada, Frank levou Steven até a beira do gramado para que eles pudessem invadir o campo e comemorar.

– Não sei se devemos ir. Vamos arrumar problemas – disse Steven.

– Vamos! Só me siga – insistiu Frank.

Depois do último lance, milhares de fãs invadiram o campo e começaram a correr em volta dele gritando e arrancando pedaços do gramado. Corriam pelas bases como se estivessem marcando pontos. Dois desses fãs enlouquecidos eram Steven e Frank, e é muito bom imaginá-los congelados no tempo, brincando naquela grama verde, felizes e livres.

Trouxemos o corpo de Frank da Flórida para enterrá-lo em Long Island. Surpreendemo-nos ao descobrir que no St. Patrick's Cemetery em Huntington, onde meus pais foram enterrados, um terceiro túmulo já estava reservado e pago. Nenhum de nós sabia algo a respeito e nunca soubemos quem havia reservado aquele túmulo. Teria sido ideia do meu pai? Da minha mãe? E por que apenas um túmulo? Naquela época, Annette, Nancy e eu já éramos casadas. Steven era noivo. Assim, apenas Frank estava sozinho. Às vezes penso que a minha mãe possa ter previsto a morte dele e por esse motivo reservado e pago pelo túmulo, para que seu filho pudesse descansar ali, bem ao lado dela.

Frank descansa ao lado dos meus pais, debaixo de uma superfície plana de grama e ao lado de uma colina ligeiramente inclinada.

~

Depois de voltar da Carolina do Norte, Maurice abandonou o negócio dos jeans e conseguiu um emprego como segurança na Doar Security, no Bronx. Começou ganhando 5,15 dólares por hora, mas em seis meses foi promovido a supervisor. Os chefes de Maurice observaram que ele tinha facilidade no relacionamento com as pessoas, assim como possuía habilidade para amenizar situações difíceis. Por certo tempo, trabalhou na Bureau of Welfare – um escritório que administrava os albergues –, onde as pessoas estavam constantemente agitadas e brigas aconteciam com frequência. Maurice sabia como acalmar os ânimos.

– Escutem. Sei por que vocês estão aqui e sei também quais são as circunstâncias. Também tenho consciência de que vocês precisam de dinheiro. Então, ou vocês se conscientizam disso e permanecem em fila para receber o dinheiro agora, ou então continuam brigando e serão expulsos daqui; nesse caso terão de esperar até a próxima semana.

E acrescentava:

– Pensem sobre o que vocês estão fazendo. A próxima decisão que tomarem vai determinar o que acontecerá com vocês. Está em suas mãos.

Por fim, o salário de Maurice chegou a dezoito dólares por hora.

Porém, Maurice tinha objetivos maiores e por isso voltou a estudar.

Matriculou-se em um centro de aprendizagem chamado Brooklyn Adult Learning Center e seu plano era estudar bastante por dois anos, para passar no exame General Educational Development e obter o seu diploma de Ensino Médio. Apenas dois meses após o início do curso, um professor o chamou para conversar.

– Maurice, acho que você está preparado para fazer o teste do GED – disse.

– Não, obrigado – respondeu Maurice. Aquele teste significava muito para ele, pois decidiria qual seria o seu futuro, a direção que ele escolheria para o resto da vida, e ele ainda não se sentia preparado. Mas o professor continuou insistindo. Finalmente, Maurice foi até a Edward R. Murrow High School, uma escola de Ensino Médio na Avenue L, no Brooklyn, pegou os seus lápis nº 2 e começou a escrever. Dividida em duas fases, a prova continha todas as matérias: História, Inglês, Matemática, Estudos Sociais. Ao término da segunda fase, Maurice estava exausto e tinha certeza de que não havia passado.

Então voltou para a escola e continuou estudando. Aproximadamente dois meses depois, ao chegar em casa da escola, Michelle e os filhos vieram cumprimentá-lo. Maurice percebeu que eles estavam agindo de um jeito diferente. Michelle pediu que ele se sentasse para comer e trouxe os seus pratos prediletos – costelas grelhadas, couve e pão de milho. Após o jantar, ela serviu uma fatia grande de *cheesecake*. Maurice perguntou:

– O que está acontecendo? O que significa tudo isso?

Junior veio até Maurice e lhe entregou um quadro. Dentro dele, estava o diploma de Maurice, que tinha chegado pelo correio.

Juntos, esposa e filhos gritaram:

– Parabéns!

Maurice abaixou a cabeça e começou a chorar, emocionado.

~

Porém, o diploma equivalente ao Ensino Médio era apenas o primeiro passo. O próximo era realizar um sonho que ele tinha há algum tempo. Maurice fez o teste para ingressar no Departamento de Polícia de Nova York. Também foi aprovado.

Para se tornar policial, ele precisava ter cursado pelo menos dois anos de faculdade, então se matriculou na Medgar Evers College no Brooklyn. Foi lá, enquanto estudava Educação, que encontrou um artigo de jornal que tratava sobre o destino da juventude negra de Nova York. O artigo mostrava que havia muito mais homens negros na prisão do que nas universidades. Maurice uniu-se a outros estudantes e ao reitor da faculdade e deram início ao projeto "Da prisão para a faculdade", no Male Development Program, uma organização do campus cujo objetivo era incentivar jovens homens negros a se envolverem em suas comunidades e assim perceberem a sua força e o seu potencial.

O reitor da faculdade, dr. Edison Jackson, ficou impressionado com Maurice e pediu-lhe que fizesse um discurso em uma reunião sobre orçamento com o New York City Council. No dia da palestra, Maurice se levantou cedo, vestiu uma gravata e um paletó e leu sua fala uma dúzia de vezes. Do lado de fora da sala de reunião, respirou fundo para se acalmar. Quando chegou a sua vez, sentou-se em frente ao microfone, preparou a garganta e começou a falar. Cometeu alguns erros entre a primeira e a segunda linhas, mas depois se acalmou.

– Em nome da Medgar Evers College, solicito ao conselho que financie esse programa. Estamos prontos para fazer o que for necessário para promover o desenvolvimento e o progresso dos jovens negros.

Em seguida, dr. Jackson colocou a mão sobre o ombro de Maurice e disse que ele tinha se saído muito bem. Tornou Maurice o porta-voz do Male Development. Pouco tempo depois, Maurice foi contratado como diretor de pesquisa de um programa da universidade chamado Fatherhood Initiative. Recebeu um prêmio pelo trabalho de destaque em sua comunidade e na universidade.

Atualmente, Maurice está a meio caminho da conquista do diploma.

Ele é o primeiro homem de sua família a obter pelo menos um crédito de estudos na faculdade.

capítulo 19

a maior das dádivas

Sexta-feira, 5 de outubro de 2001. Westchester Country Club em Rye, Nova York. Aproximadamente noventa pessoas com trajes formais estão presentes em uma sala toda mobiliada em mogno. Vasos enfeitados com lindas flores preenchem todas as mesas. Todos estão ali reunidos para celebrar uma ocasião especial.

Laura Schroff – sim, eu – está completando cinquenta anos.

Michael, meu marido, planejou a minha festa de aniversário por meses. Eu havia escolhido o vestido perfeito, uma confecção muito bonita da Bergdorf Goodman feita de seda xantungue. Meu irmão, minhas irmãs e suas respectivas famílias estariam lá – era a primeira vez que nos reuniríamos após mais de cinco anos. Eu tinha selecionado um tema para a festa – "Minha vida em músicas" –, e escolhi três músicas para cada década da minha vida.

Três semanas antes da festa, as torres do World Trade Center sofreram o ataque.

O primeiro pensamento que tive foi cancelar a festa, mas nos dias e semanas que seguiram, percebi que não haveria momento melhor para celebrarmos as nossas bênçãos e agradecer a família e os amigos que fazem a nossa vida valer a pena. Concordamos em manter a festa e todos os convidados compareceram.

Foi uma noite mágica. A tragédia do 11 de setembro nos fez tomar consciência do quão sortudos éramos por termos uns aos outros. Havíamos escolhido a música como o tema da minha festa porque ela teve um grande significado para a nossa infância – minha e de minhas irmãs. Lembro-me que ligava o aparelho de som na sala de estar da nossa casa em Huntington Station e dançava por horas com Annette ao som de músicas como *The Twist*, de Chubby Checker. A dança era o nosso refúgio naquela época, o que também aconteceu naquela noite.

Bebemos e comemos. Michael, vestindo um smoking, fez um brinde a mim, junto aos meus amigos Phoebe e Jules, minha sogra Jean e minha irmã Annette. Quando chegou a vez de Steven, ele me convidou para dançar *The Wonder of You*. Lembro-me que estava me sentindo quase tonta de tanta felicidade. Ali estava eu, rodeada pelas pessoas que eu mais amava no mundo. Senti uma profunda gratidão por tudo o que tinha. Não é sempre que temos a chance de olhar para a vida, observar o caminho que percorremos e agradecer a todas as pessoas que nos acompanharam nessa viagem, refletindo sobre como somos sortudos. Claro, as pessoas dizem coisas bonitas a seu respeito no seu funeral, mas você não está lá para ouvi-las. Tive a chance não apenas de ouvi-las como também de agradecê-las, e foi uma noite a qual eu jamais me esquecerei.

Então veio o brinde final. O porta-voz vestia um smoking preto e calçava sapatos lindos, nas cores preto e branco; sua esposa trajava um vestido azul-marinho lindíssimo e estava com o cabelo impecável. Quase todo mundo na festa o conhecia ou pelo menos conhecia a sua história, então todos estavam muito animados e ansiosos por ouvi-lo. Ele beijou sua esposa, foi até o microfone e começou o brinde.

– Laurie, por onde devo começar? Nos conhecemos... a maneira como nos conhecemos foi muito especial para mim. Eu era apenas um garoto que vivia nas ruas, não tinha quase nada. Estava com muita fome naquele dia e perguntei: "Senhora, tem uma moeda?". E ela saiu andando. Depois de alguns passos, parou. Ela estava no meio da rua, quase foi atropelada, olhou para mim, voltou e me levou até o McDonald's. Comemos e depois fomos caminhar no

Central Park, em seguida ela me levou para tomar um Häagen-Dazs e fomos jogar fliperama. Sabe, naquele momento, ela salvou a minha vida. Eu estava indo para o caminho errado, o lado errado e, sabe, a minha mãe, que descansa em paz, usava drogas o tempo todo. Então o Senhor me enviou um anjo. E esse anjo foi Laurie.

E continuou:

– Sem você, – disse, elevando a taça que segurava em uma das mãos – eu não seria o homem que sou hoje.

~

Fiquei extremamente emocionada ao ouvir Maurice dizendo que eu havia salvo a vida dele. Na verdade, fiquei muito desconcertada durante o brinde. Sempre que ouvia alguém dizer que Maurice era um sortudo por ter me encontrado, interrompia essa pessoa para corrigi-la: a verdade é que a grande sortuda fui eu.

Maurice ensinou-me muitas coisas; é impossível listar todas elas. Ensinou-me a viver. Ensinou-me uma das lições mais importantes que uma pessoa pode aprender: como ser grata a tudo o que tenho. Com ele, aprendi a ser uma pessoa resistente, corajosa, perseverante, e aprendi a força especial que adquirimos ao superar uma adversidade. Ensinou-me o verdadeiro valor do dinheiro, o significado de uma refeição embrulhada em um simples saco de papel marrom e a importância do singelo ritual de preparar biscoitos. Maurice ensinou-me, muito mais do que eu a ele, o que significa ter um amigo.

Tudo que dei a Maurice, ele me devolveu dez vezes mais. Cada refeição, cada camiseta, bicicleta ou escova de dentes, tudo era apreciado por ele da maneira mais autêntica que já vi em toda minha vida. Todas as vezes em que lhe ofereci uma mão, ele me deu um abraço em troca; cada gesto de bondade era pago com um sorriso incrivelmente otimista. Se o amor é o maior presente de todos – e eu acredito que é –, então o maior privilégio que temos em nossa vida é a capacidade de amar alguém. Maurice surgiu do nada e permitiu que eu o amasse, e eu nunca poderei lhe agradecer suficientemente por isso. Sua generosidade de espírito continua a me surpreender e até hoje a minha relação com ele é a relação da qual eu mais me orgulho.

Aproximadamente um ano após o meu aniversário de cinquenta anos, Michael e eu nos divorciamos. Talvez o meu ressentimento em relação a Maurice tenha persistido. E não estou certa de que as nossas divergências a respeito de ter um filho tenham sido superadas. Lembro-me que optei por ter um cachorro em vez disso, mas Michael também resistiu a essa ideia. Por fim, mantive a minha palavra e avisei que teria uma *poddle*, e que daria a ela o nome de Lucy – gostasse Michael ou não. E foi exatamente o que fiz. Lucy – minha pequena e adorável Lucy – me ajudou a superar a dor que eu sentia por não ter tido um filho. Dois anos depois, dei a Lucy uma irmã, uma linda *poodle* chamada Coco. Durante a minha infância, os cachorros entravam e saíam da minha vida, mas Lucy e Coco nunca foram nada menos que minha família.

Michel amava as minhas "meninas" da mesma forma que eu, mas não conseguíamos nos acertar. O divórcio nunca é culpa de uma pessoa apenas. Michael e eu tivemos momentos maravilhosos juntos e, sob muitos aspectos, ele foi um marido maravilhoso e até mesmo o amor da minha vida. Tenho certeza de que sempre seremos amigos, mas agora estou por conta própria. Sinto-me bem, forte e feliz com a minha vida e até mais esperançosa com o que está por vir. Finalmente me aposentei da publicidade, após uma longa e bem-sucedida carreira, e sinto-me extremamente abençoada por estar cercada por tantas pessoas incríveis, minhas amigas até hoje. De vez em quando sinto uma coceira para voltar a trabalhar, mas duvido que faria isso. Creio que é tempo de experimentar coisas novas.

Vendi o meu apartamento em Manhattan e me mudei para a Flórida, mas fiquei inquieta e decidi voltar. Gostaria de comprar algum outro apartamento no centro em breve, mas, antes de qualquer coisa, quero fazer um cruzeiro com toda a minha família: Annette e Bruce; minha sobrinha Colette – que está bem crescida agora –, o marido dela, Mike, e a filha deles, Calli, também viajará conosco o meu sobrinho, Derek, sua esposa Brooke e o filho deles, Dashiell; minha sobrinha Brooke e o namorado dela, Steve; Nancy, John, a filha deles, Jena, e o filho, Christian; meu irmãozinho Steven, sua esposa Elise e as filhas deles, Olivia e Emily. E claro que não poderiam faltar Maurice, sua adorável esposa Michelle e seus filhos incríveis.

Não me importo com o nosso destino ou com o que vamos fazer. O que realmente importa para mim é que todos nós estaremos juntos naquele navio.

~

Gostaria de continuar encontrando o meu amigo Maurice, se não toda segunda-feira, pelo menos com a maior frequência possível. Ao olhar para a nossa relação, fico impressionada quando penso o quanto aquilo era raro. Pertencíamos a dois mundos totalmente diferentes e, pelo menos na superfície, tínhamos muito pouco em comum. Havia muitas coisas a respeito de Maurice que eu ainda não sabia. Apenas recentemente tomei conhecimento de que quando o conheci ele tinha doze anos e não onze como pensávamos. Quando criança, ele não comemorava os aniversários e não sabia ao certo a sua idade. Somente quando começamos a trabalhar no projeto deste livro Maurice descobriu quantos anos tinha de fato. Não fiz as correções nas páginas anteriores porque não seria fiel à sequência da nossa história. A verdade é que há muitas coisas que nos separam um do outro – idade, costumes, circunstâncias – e, olhando de fora, Maurice e eu provavelmente não parecemos uma dupla de amigos dentro dos padrões.

Mas posso dizer sinceramente que nenhuma das minhas amizades é mais importante ou mais valiosa do que a que tenho com Maurice.

Após concluir a graduação na Medgar Evers College, Maurice decidiu que não queria mais ser policial. Começou a atuar no ramo da construção e, no momento, está tentando tocar a sua própria empresa, a Moe's Finest Contracting, LLC. Maurice visita prédios antigos, faz uma reforma interna, troca toda a tubulação e fios e reconstrói as paredes. Possui muito talento para isso e não tenho dúvidas de que o seu negócio será muito bem-sucedido. Maurice já pode até mesmo contratar alguns empregados.

Em 2010, quando o tio Old saiu da prisão, Maurice ofereceu-lhe um emprego.

O que mais me deixa orgulhosa em relação a Maurice é a família dele. Ele e Michelle estão juntos há mais de catorze anos e ele diz que hoje está mais apaixonado por ela que antes. Depois que sua mãe morreu, Maurice e as irmãs receberam alguns dólares como benefício. Ele usou parte desse dinheiro para comprar um anel de compromisso para Michelle. Casaram-se diante de um juiz de paz – estavam presentes apenas o casal e mais duas testemunhas. Se o negócio da construção der certo, Maurice planeja dar a Michelle um casamento de verdade.

E há também os filhos deles. Quando finalmente os conheci, imediatamente me apaixonei por cada um deles. Quero dizer que são crianças *incríveis*: inteligentes, alegres, divertidas e cheias de sonhos. Maurice também se tornou um pai para o filho de Michelle, Ikeem, que hoje tem vinte anos, e é um rapaz alto e muito bonito. Ikeem pensa em ingressar no exército algum dia. O filho primogênito de Maurice, Júnior, tem dezessete anos e está mais alto que o pai. Pretende tornar-se chef de cozinha. Jalique, hoje com dezesseis anos – uma cópia física de Maurice quando tinha essa mesma idade –, quer ser detetive. Jahleel, onze anos, pensa em se tornar policial e também adora jogar xadrez. Maurice tem outras duas filhas e a mais velha se chama Princess, tem quatorze anos e seu apelido é "MaMa" e "YaYa". Candidatou-se para o Fashion Institute of Technology e deseja seguir carreira como designer de moda. É uma moça muito bonita e tem um charme natural. Sua irmã chama-se Precious, tem oito anos e é apaixonada por pular corda e por Miley Cyrus; quer ser veterinária e talvez também seja atriz.

– Quero me aventurar – diz ela.

Jahmed, o filho caçula de Maurice, tem quatro anos. É cheio de energia e ama a luta livre profissional, tal como o pai; certamente em breve mostrará a réplica do seu cinturão de campeão e a elevará sobre a cabeça fazendo uma pose de lutador. Parece que também tem um talento para a música, especialmente para a bateria. Lembro-me que certa vez Maurice entregou a ele dois lápis e ele começou a batê-los em cima da mesa com muita destreza.

– Também sei fazer panquecas – diz ele.

Não posso deixar de dizer o quão amáveis, inteligentes e brilhantes são os filhos de Maurice. Da mesma forma, tenho de dizer o quão forte, amável e paciente é o pai deles. Eu o vejo tentar "roubar" uma barra de chocolate da mão de Princess, esperar Jahleel por duas horas durante um campeonato de xadrez, colocar Jahmed sobre o colo e ficar junto dele por horas, e me emociono ao observar como ele é paciente e carinhoso. Maurice atribui parte de sua habilidade como pai à sua mãe e à sua avó. Ele me conta que, quando está na cozinha no Dia de Ação de Graças, conversa com Darcella e com a avó Rose e fala sobre os seus filhos. Maurice diz que por vezes pode até ouvi-las responder, aconselhando-o para tomar cuidado com isso ou aquilo. E, dessa maneira, elas o ensinam como ser um bom pai.

Maurice também atua como mentor para crianças e grupos de juventude da comunidade e acaba de começar um trabalho voluntário que auxilia crianças desfavorecidas – um ato de bondade que o faz lembrar dos dias em que vivia nas ruas.

– Considero que a minha infância foi um presente – Maurice me disse certa vez. – Tudo o que aconteceu comigo serviu para que eu aprendesse a educar os meus filhos. Vi o que o meu pai fez e eu poderia ter crescido acreditando que aquela era a única maneira de lidar com os filhos. Mas então eu encontrei você e foi quando eu percebi que havia outra forma.

~

Lembro de uma das primeiras vezes que fui até o apartamento de Maurice para fazer uma visita. Após morar por doze anos no mesmo apartamento no Brooklyn, Maurice e Michelle estavam agora na Madison Street, no centro de Manhattan. Algumas pessoas podem considerar o edifício decadente, mas Maurice o vê de uma forma diferente.

– Comparado ao que era na minha infância, vivo como um rei agora.

Eis o motivo pelo qual ele deu o nome de Princess à sua filha.

– Porque penso nela como realeza – ele diz.

O apartamento de Maurice possui um bom tamanho e está repleto de roupas, brinquedos e tênis. Através da janela da sala de estar é possível ver não somente a ponte de Manhattan, como também a ponte do Brooklyn. É uma vista maravilhosa, quase épica, que sugere promessa e aventura. Em uma parede do apartamento há porta-retratos com as fotos dos filhos e, na outra, uma televisão de tela plana pequena. Há também um Xbox, com o qual Maurice pode ensinar aos filhos a arte do video game, da mesma maneira que me ensinou alguns anos atrás.

Foi então que eu vi algo.

Estava na sala de estar, que funciona também como sala de jantar, e quando eu vi, Maurice sorriu, com orgulho.

Uma mesa de jantar enorme.

Era tão grande que ocupava quase as duas paredes e oito cadeiras cabiam confortavelmente ao seu redor. Se necessário, Maurice poderia adaptá-la e torná-la ainda maior. É ali que Maurice, a esposa e os filhos fazem as suas refeições, conversam sobre o dia, brincam um com o outro e fazem planos para as festas de aniversário, as partidas de futebol e de xadrez e onde Jahmed, quando está de bom humor, batuca com os seus dois lápis.

– Viu – disse Maurice, sorrindo –, não disse que um dia eu teria uma mesa grande?

E então me sentei à mesa e jantei com a minha família.

epílogo

com amor, Maurice

Querida Laurie:

Escrevo esta carta para dizer o quanto você foi importante para a minha vida. Quando olho pra trás e vejo tudo o que aconteceu, percebo que, se não tivesse encontrado você, jamais teria me tornado o homem que sou hoje. Serei eternamente grato pelo amor e carinho que você tem demonstrado por mim durante todos esses anos. Você me ensinou a sonhar, a confiar nas pessoas, a ser uma pessoa ativa na sociedade e, acima de tudo, a ser um bom homem e um ótimo pai.

Tudo começou naquele dia em que pedi dinheiro e você passou reto por mim. Naquele momento, Laurie, pensei que você fosse apenas mais uma dessas pessoas brancas, ricas e arrogantes sobre as quais sempre ouvi falar.

Mas então você voltou, e agora percebo como o meu mundo era preto e branco antes de te conhecer. Tudo aquilo em que eu acreditava era baseado em um ponto de vista. Minha mãe e meu pai foram criados em uma época de discriminação. Isso, aliado à falta de educação, é a receita perfeita para a desconfiança. Quando comecei a sair com você, minha avó dizia "Fique longe dessa branca maldita". Mas, com o passar do tempo, ela viu o quanto a nossa amizade estava me fazendo bem e passou a dizer coisas como "Essa mulher realmente se importa com você", e até me perguntava sobre você: "Como ela está? Você vai encontrar com ela em breve?". Minha avó, que a princípio não confiava e não te respeitava nem um pouco, passou a acreditar que você era um anjo da guarda que Deus enviou para cuidar de mim.

Lembro quando você me perguntou o que eu queria ser quando crescesse. Até aquele momento, eu nunca tinha pensado sobre o que o futuro me reservava; apenas vivia um dia após o outro. Eu me preocupava mais com o que ia comer no dia seguinte do que com o que eu queria ser quando crescesse. Não sabia nem mesmo se me tornaria adulto, levando em consideração as circunstâncias em que eu vivia. Mas, depois de conhecer você, comecei a expandir a visão da minha vida. Comecei a pensar que eu poderia conseguir um emprego. Pela primeira vez na vida, passei a me imaginar como adulto e até me imaginei trabalhando como policial.

Ainda assim, havia um problema: o quanto eu duvidava de mim mesmo. Sempre me chamaram de analfabeto. Eu era um mau aluno na escola, então fui submetido a uma avaliação diferenciada. Minha mãe participou dessa avaliação e, por alguma razão, saiu de lá acreditando que eu era incapaz de ler e escrever. Minha família inteira passou a me dizer o mesmo. Eu sabia que podia ler e também escrever, embora escrevesse bem devagar. Mas, como as pessoas me lembravam constantemente de que eu era analfabeto, comecei a considerar que não importava se eu sabia ou não ler e escrever – de qualquer forma estava destinado a viver o resto da minha vida como todos os homens da minha família.

E foi então, Laurie, que você veio me salvar de novo. Exatamente quando pensei que o meu destino estava condenado, exatamente quando aquele sonho que você me ajudou a cultivar estava despedaçado, você me contou sobre as dificuldades que tinha na escola quando tinha a mesma idade que eu. Não posso mensurar o quanto o seu depoimento foi importante para mim. Comecei a pensar que se alguém como você – uma pessoa tão articulada e que conquistou tantas coisas na vida – enfrentou tantas adversidades e superou todas elas, então eu também poderia fazer o mesmo. Depois disso, passei a ignorar totalmente qualquer pessoa que viesse me falar sobre a minha suposta incompetência. Decidi que a sua opinião sobre mim era a realidade e que qualquer um que não concordasse com ela era simplesmente invejoso ou infeliz consigo mesmo. Essa mudança de pensamento mudou tudo para mim. Até hoje, essa forma de pensar me ajuda a lidar com as questões que a vida me traz. Até hoje, ela me dá a coragem de ousar no meu sonho.

Laurie, há tantas coisas que você me ensinou, tantas experiências que sem você eu jamais teria tido a chance de vivenciar. Lembro-me de todas as vezes em que você me levou até a casa da sua irmã em Long Island, mas algumas dessas visitas me marcaram mais. Lembro-me do dia em que a sua sobrinha Brooke estava chorando desesperadamente porque descobriu que o Papai Noel não existia... pensei "Óh céus, é melhor ela ficar quieta antes que leve uma surra". E foi quando vi o pai dela, Bruce, se aproximando e imaginei "Chegou a hora do chicote". Mas, para minha grande surpresa e alegria, tudo o que ele fez foi consolar a filha. Ele a segurou no colo, enxugou suas lágrimas, sussurrou algo no ouvido dela e a abraçou. Isso foi tudo. Naquele momento, pensei que Bruce era o melhor pai do mundo, e foi naquele dia que aprendi o que é ser um pai.

Outra visita que muito marcou a minha memória foi quando nos sentamos ao redor daquela mesa de jantar enorme. Sinceramente, nunca pensei que uma mesa poderia ser tão grande, mas não foi isso que me surpreendeu mais. Não foi a comida, tampouco os talheres de prata. O que de fato me fascinou foi o amor que havia ao redor daquela mesa. As pessoas contavam uma história atrás da outra e sorriam. Era um sentimento que eu não saberia explicar na época, mas hoje sei que aquele sentimento chama-se família. É o que sinto todas as noites quando estou com a minha esposa e com os meus filhos.

Por sua causa, Laurie, pude perceber as diferentes maneiras pelas quais as pessoas demonstram o amor e o cuidado pelo próximo. Estou me lembrando agora de todas aquelas refeições que você preparava para mim e colocava em sacos de papel marrom. Imagino que algumas pessoas não compreendam a importância daqueles sacos de papel. Mas para mim eles eram a demonstração de que alguém havia reservado um tempo de sua vida para preparar a minha comida.

Alguém tinha de fato pensado em mim, alguém se preocupava comigo. Laurie, você reservou um tempo para preparar as minhas refeições e mostrou o quanto se importava comigo; todas as crianças da escola onde eu estudava também puderam ver isso. Não tenho palavras para agradecer por todos aqueles sacos de papel marrom.

O tempo que passamos juntos foram os melhores momentos da minha vida. Diverti-me muito jogando video game ou saindo com você para passear, mas aprendi com você muito mais do que em qualquer outro lugar. Naquela época, eu não tinha essa consciência, mas, depois que cresci, comecei a perceber que todas aquelas pequenas lições de vida que você me passou tornaram-se um guia para o meu dia a dia. Lições como "Você não precisa brigar o tempo todo para demonstrar o quanto é forte, Maurice". Lembra quando me disse isso? Talvez não. Mas eu nunca vou me esquecer. Você me mostrou que era muito mais importante ser forte mentalmente do que fisicamente, e essa é uma lição que tento transmitir aos meus filhos.

Finalmente, e isso é extremamente importante, quero que você saiba por que eu desapareci e não entrei em contato com você durante todo aquele tempo. Naquela época, queria contar o que estava acontecendo na minha vida, mas senti que não deveria. Sabia que você não estava feliz por eu ter me tornado pai tão jovem e eu não poderia te contar que já tinha um segundo filho. O que eu mais odiava na vida era te decepcionar, depois de tudo o que você havia feito por mim. Também considerei que você já havia me ensinado tudo o que eu precisava saber para agir por minha própria conta. Então, parei de ligar para você e saí no mundo para tentar resolver as coisas. E, Laurie, você estava certa: as coisas que me ensinou acabaram salvando a minha vida.

Quando finalmente liguei para você, entrei na sua vida novamente como um homem, não mais como um garoto. Estava vivo, apaixonado, tinha os meus filhos e havia ensinado a eles tudo o que você me ensinou. E o mais importante: eu os amo exatamente da mesma forma que você me ama.

Sei que este livro conta a história da amizade incomum entre duas pessoas totalmente diferentes, mas acredito que essa história é muito mais que isso. Trata-se de uma mãe esperando por um filho e de um filho esperando por uma mãe. Essa espera não tem nenhuma relação com cordão umbilical ou com DNA. Está relacionada a duas pessoas que precisavam uma da outra e que estavam destinadas a se encontrarem na esquina da 56th Street com a Broadway. Toda segunda-feira, a mãe conhecia um pouco mais do filho e o filho aprendia com a mãe.

E foram nessas segundas-feiras que o coração dos dois foi costurado com fio invisível, o fio do destino.

Te amo, mãe.

Maurice Mazyck

agradecimentos

Como posso agradecer Maurice por ter entrado em minha vida e tê-la mudado para sempre? Ao longo desses anos, muitas pessoas me disseram o quanto Maurice teve sorte em me encontrar, mas a minha resposta é sempre a mesma: não, quem teve sorte fui eu em encontrá-lo! Maurice, você trouxe tanta alegria à minha vida e me mostrou de diferentes maneiras o significado da palavra amizade e por isso tudo o que posso dizer é: muito obrigada com todo o meu coração. Agradeço também à esposa de Maurice, minha querida amiga Michelle, por permanecer ao lado dele quando eu não estava lá. Tenho muito orgulho de vocês dois e da família tão excepcional e amável que vocês têm.

Meu profundo agradecimento à minha querida mãe, pela força surpreendente e pelo amor incondicional; ao meu pai, que foi um grande homem nos momentos em que era bom. Foi ele quem me mostrou o significado do trabalho duro. Por conta do que infundiu em mim, fui capaz de desenvolver uma carreira brilhante no ramo da publicidade. E agradeço ao meu irmão Frank, que descansa em paz e que será sempre muito querido. Penso em você todos os dias.

Há um ditado popular que diz "Você pode escolher os seus amigos, mas não pode escolher a sua família". Pode ser que isso seja verdade, mas eu não poderia ter escolhido irmãs e irmãos tão maravilhosos quanto os meus. Annette Lubsen, Nancy Johansen e Steven Carino, obrigada por permitirem que eu partilhasse a vida de vocês e que dividisse a nossa história com o mundo. E o mais importante, muito obrigada pelo incrível apoio e pelo amor que vocês têm demonstrado por mim não somente durante esse projeto como também ao longo de toda a minha vida.

Ao meu cunhado Bruce Lubsen, muito obrigada por ter mostrado a Maurice a importância de ser um pai compreensivo, amoroso e companheiro. O seu exemplo teve um grande impacto na vida dele e exerceu uma grande influência sobre ele. A Colette Lubsen-Reid, Brooke Lubsen e Jena Johansen, minhas adoráveis e queridas sobrinhas, vocês estiverem comigo em cada passo do caminho. O interesse e o apoio constante de vocês é algo incrível, e eu as amo muito. Ao meu cunhado John Johansen, e aos meus sobrinhos Christian Johansen e Derek Lubsen, tenho muito orgulho de vocês. Aos irmãos da minha mãe, tia Diana Robedee e tio Pat Procino, muito obrigada por nos manter sempre em seus corações.

O nome desse livro é relevante para uma outra relação especial da minha vida. Meu coautor Alex e eu trabalhamos juntos por dezessete anos no Time Inc., e os nossos caminhos nunca se cruzaram. Ele trabalhava na edição e eu na publicidade. Foi graças à ajuda da nossa amiga Martha Nelson que nos unimos para colocar em prática esse projeto. Obrigada, Alex, por reconhecer o poder da minha história e pelo comprometimento em me ajudar a contá-la. Assim como Maurice, você foi alguém que o destino me trouxe e eu gostaria de pensar que, novamente, isso aconteceu porque minha mãe interviu, lá de cima.

Um agradecimento muito especial à minha querida amiga e mentora Valerie Salembier, que escreveu o prefácio bonito e sincero deste livro. Você foi a primeira pessoa a quem contei sobre o meu então novo amigo e quero agradecê-la por confiar no que eu estava fazendo. O seu amor, apoio e amizade ao longo desses trinta anos têm sido simplesmente incríveis.

Muitas pessoas têm histórias não contadas e, sem a ajuda do nosso magnífico agente literário, a nossa história não teria sido dividida. A Jan Miller, obrigada por acreditar que este livro poderia fazer a diferença. Não há palavras suficientes para expressar toda a minha gratidão. Você e sua equipe da Dupree/Miller foram extremamente prestativos e é uma honra para mim trabalhar com todos vocês.

Um agradecimento muito especial a Nena Madonia pelo incansável apoio e por me assegurar que este livro estaria em boas mãos. Sinto muito orgulho em tê-la não somente como agente literária, mas, sobretudo, como uma grande amiga.

A editora certa para um livro faz toda a diferença, e tivemos muita sorte ao encontrar Jonathan Merkh e Becky Nesbitt, da Howark Books, que não apenas "abraçaram" a nossa história, mas trabalharam sobre ela com muita paixão. Vocês se apaixonaram pela nossa história desde o começo. Tenho uma eterna dívida com vocês e, por mais que agradeça, nunca será o suficiente. A Jessica Wong, a nossa talentosa editora, o que posso dizer do apoio incondicional e da paixão que demonstrou pela nossa história? Obrigada por fazer a nossa trajetória tão extraordinária e perfeita. Você é a nossa campeã. Um agradecimento especial à brilhante e talentosa equipe da Howard Books, de maneira especial a Betty Woodmancy e a Jennifer Smith.

Um agradecimento muito especial a todos os meus amigos da Time Inc. A Martha Nelson, que conheci quando trabalhei na revista *Ms.* Considero-me uma pessoa sortuda e feliz porque os nossos caminhos se cruzaram no decorrer da minha carreira. Você sempre esteve disponível para mim e eu a agradeço por me ajudar a entrar em contato com Alex. A Paul Caine, que me lembra os tempos antigos com Maurice e que tem sido um verdadeiro campeão da nossa relação. Não tenho palavras para dizer o quanto admiro a sua constante coragem. A David Geithner, que demonstrou grande entusiasmo pela minha história, e a seus colegas, Rebecca Sanhueza e Nancy Valentino. E uma lembrança especial a magnífica equipe RP do Sandi Shurgin-Werfel e Heidi Krupp.

A todos os meus amigos do *USA Today* que apoiaram a minha amizade com Maurice, muito obrigada. Um agradecimento especial a Lou e Donna Cona, que tiveram grande empatia por Maurice e deram a ele várias sacolas cheias de roupas quando ele mais precisava.

Os professores recebem o salário para lecionar, mas no caso da senhorita Kim House, ela fazia muito mais que isso – ela se importava com os alunos. Obrigada pela enorme compaixão que demonstrou ter por Maurice e por ter ido muito além do seu dever. Eu a recomendo – assim como aconselho que a maior autoridade do sistema escolar de Nova York também o faça –, porque você de fato faz a diferença na vida dos alunos.

Acredito que as pessoas surgem em nossas vidas por um motivo especial, e esse é o caso da minha querida amiga e conselheira Laura Lynne Jackson. Muito obrigada por partilhar comigo o seu dom especial. Suas palavras de incentivo, compreensão e apoio me ajudaram a acreditar que o nosso livro seria possível. Quando me faltavam palavras, você continuou me encorajando a aproveitar o tempo ocioso – que você chamava de "calmaria antes da tempestade". E você estava completamente certa! Você trouxe paz e conforto enormes para a minha vida.

Ao longo de muitos anos, tenho sido abençoada com o grande dom da amizade. Amigos não chegam em uma linda caixa azul de presente com laços de cetim branco; eles simplesmente aparecem e mudam a sua vida. Para todos os meus amigos queridos que sempre estiveram comigo nos momentos de altos e baixos, espero que possa retribuir todo o amor e o apoio que vocês me deram. Um agradecimento do fundo do coração a Christina Albee e Gregg Goldsholl e aos amáveis Clare, Lori Cohn, June Deane, Susan Egan, Mary Gallagher-Vassilakos, Susan Goldfarb, Barbara Groner-Robinton, Cherie e Joseph Guccione, Scott Jacobs, Lori Ressa-Kyle, Nora e Ed McAniff, Darcy Parriott-Phillips, Mary Phillips, Brette Popper e Paul Spraos, Lauren Price, Andrea Rogan, Phoebe Rothkopf, Kim Schechter, Janet Shechter, Lori Levine-Silver, Donna Smith, Sue e John Spahlinger, Pam Stanger, Stacie Sullivan, Lynn Ruane-Tuttle, Michael Wellner e Kevin White. Agradeço também ao meu amigo e cabeleireiro Liell Hilligoss do Pierre Michel e ao meu fotógrafo Joseph Moran.

Finalmente, gostaria de agradecer a você, leitor deste livro. Desejo que você, assim como eu fiz, olhe para a sua própria vida e pense em como o fio invisível do destino conectou você às pessoas especiais que estão ao seu redor. Creio que isso não acontece por acaso.

Laura Schroff

~

Sinto-me uma pessoa inacreditavelmente sortuda por ter encontrado Laura Schroff e Maurice Mazyck. Laura, muito obrigado por ter confiado em mim para ajudá-la a contar essa incrível história. Estou admirado pelo seu coração generoso, pelo seu belo espírito e pela forma inspiradora como você encara a vida.

Maurice, meu companheiro fã dos Knicks, estou encantado com a sua força, coragem e convicção, e com sua linda família. Você é um herói para mim.

Obrigado a Larry Hackett e a todas as pessoas da *People Magazine* por permitirem os meus atrasos no trabalho. Agradeço a Martha Nelson pelo apoio imensurável. Muito obrigado à minha grande amiga Susan Schindehette, simplesmente a melhor e mais graciosa escritora que já conheci, e agradeço também a todos do MiWorld.com – vocês representam o futuro. Obrigado aos companheiros da Howard Books, especialmente a Jonathan Merkth, Becky Nesbitt e Jessica Wong. Agradeço também a Jan Miller e Nena Madonia, por terem sido as melhores agentes literárias que já tive, e com certeza as mais gentis. Mark Apovian, muito obrigado pelos mulligans[12].

Agradeço a Art e Nola Chester, por serem tão prestativas e amáveis. Um imenso obrigado à minha irmã Tam, por sua incrível generosidade, e à minha irmã Fran, por sempre me apoiarem, e ao meu irmão Nick, que é o meu melhor e mais velho amigo.

---

12 Cozido de carne com legumes. (N.T.)

Obrigado a Zach e Emily, por serem pessoas tão adoráveis – amo vocês dois imensuravelmente –, e a Gracie e Willie, que têm e sempre terão um lugar especial no meu coração. Agradeço também aos meus pequenos: Manley, Guy, LiLi, Nino e SheShe, amo vocês incondicionalmente. Obrigado aos meus maravilhosos amigos Amy, Neil, Angie, Karen, Greg e, claro, Lindsay. E agradeço, como sempre, a Rainey, que me deu sugestões importantes, que fizeram toda a diferença neste projeto. Você é a minha rocha.

Alex Tresniowski

uma conversa com Laura Schroff

O que a fez querer escrever um livro sobre a sua história com Maurice e dividi-la com as pessoas?

Em 1997, a *Good Housekeeping* publicou um pequeno artigo sobre a minha relação com Maurice e recebi inúmeras mensagens de amigos e colegas da área publicitária. Todos me aconselhavam a escrever um livro e documentar a nossa história. As pessoas adoraram a história e queriam saber mais sobre ela. Porém, foi apenas em 2007, depois que me aposentei na Time Inc. e mudei para a Flórida, que tive tempo o bastante para começar a pensar no livro. Nos primeiros anos da minha amizade com Maurice, nunca me dei conta de que a nossa história poderia interessar às outras pessoas, mas, quando passei a trabalhar com o meu coautor Alex Tresniowski, comecei a enxergar que havia uma mensagem poderosa nas experiências que Maurice e eu vivenciamos juntos. Assim, estava determinada a dividir a nossa história com o mundo.

Quais foram os desafios que você encontrou ao escrever *An Invisible Thread* [O fio invisível]? O que você mais gostou nessa experiência?

Desde o começo, sempre soube que precisaria de alguém como Alex para me ajudar a escrever o livro. Quero dizer, eu sabia o que desejava falar, e sabia qual era a mensagem que o livro deveria transmitir, mas precisava de alguém que me ajudasse a criar um formato e uma estrutura para a história. É surpreendente perceber o esforço e a pesquisa necessários para a criação de um livro. O desafio para mim era me manter fiel às experiências que Maurice e eu compartilhamos e, ao mesmo tempo, manter a história dramática e atraente aos leitores. Desejava que o livro transmitisse o quanto o nosso encontro foi incrível, emocionante e milagroso. Também foi um grande desafio reviver os momentos difíceis da minha infância. Foi mais difícil e mais triste do que imaginei que seria. Porém, também foi um tipo de bênção poder reviver a minha infância e inseri-la em algum tipo de contexto.

O que mais gostei durante o processo de escrita foi exatamente isso: o processo. Às vezes, é difícil acreditar que a nossa história será lida por muitas pessoas e que ela terá um impacto sobre a vida delas. Reviver a minha incrível amizade com Maurice, sua esposa Michelle e os seus filhos e trabalhar com Alex tem sido uma experiência extraordinária. Não há palavras para descrever e expressar o apoio que tenho recebido da minha família e amigos e o quanto me sinto uma pessoa de sorte por isso. Tem sido a experiência mais fascinante de toda a minha vida, e essa experiência confirma para mim, e espero que para todos vocês, a importância de se ter grandes sonhos, e que os sonhos verdadeiramente se tornam realidade. Você deve saber pela minha história que eu seria a última pessoa a publicar um livro e, no entanto, aqui estou.

Alguma vez você desconfiou da sua amizade com Maurice? Os comentários e conselhos dos seus amigos em algum momento fizeram com que você reavaliasse o seu sentimento?

Sabe, talvez eu devesse, mas a verdade é que nunca o fiz. Sabia, desde o momento em que o conheci, que Maurice era uma criança muito especial; a sua expressão e os seus olhos transmitiam confiança. No início da nossa amizade, meus amigos e a minha família me advertiram pedindo que eu tomasse cuidado e me deram inúmeras razões para que eu não fizesse o que estava fazendo. Mas sempre acreditei que Maurice era uma excelente criança que vivia em circunstâncias terríveis, e que ele entrou em minha vida por alguma razão muito especial. E Maurice nunca me deu nenhum motivo para duvidar ou desconfiar dele, então nunca me questionei sobre o que eu estava fazendo.

Falando sobre o seu casamento com Michael, por que você não deixou claro a ele que queria ter filhos? A presença de Maurice em sua vida fez com que você encarasse com mais facilidade a frustração de não ter filhos?

Michael e eu éramos tão compatíveis e nos divertíamos tanto na companhia um do outro que creio que eu não quis complicar as coisas trazendo o assunto para a nossa vida. Obviamente, ao olhar para trás, vejo que isso foi um grande erro, e aconselho a todos os casais que tenham essas conversas sérias antes de se casarem. Mas eu estava tão feliz por ter conhecido Michael e por ter essa segunda chance de ser feliz que nunca me dei conta de que não teríamos a nossa própria família. Por fim, ao completar 44 anos, percebi que ter um filho na minha idade poderia ser um ato de egoísmo. Àquela altura, Michael e eu seríamos pais mais velhos e acreditei que isso seria injusto com a criança. Perdi minha mãe quando tinha apenas 25 anos, e soube por experiência própria o quão difícil foi enfrentar a ausência dela nos anos seguintes da minha vida. Foi então que desisti do sonho de ser mãe. Foi doloroso? Muito. Quando penso sobre isso por algum tempo, entristeço. E não, a presença de Maurice em minha vida não tornou a superação da dor mais fácil de imediato. Como você pode ver, eu me sentia culpada por ter casado com Michael e mudado para Westchester – fato que alterou completamente a minha relação com Maurice. E assim, de certa forma, tive de encarar a dor de perder Maurice e de não ter um filho ao mesmo tempo. Porém, tanto antes de conhecer Michael como agora, neste exato momento da minha vida, posso afirmar que Maurice foi e é o filho que eu sempre sonhei em ter.

Como você acha que seria a sua vida se você não tivesse se virado e voltado em direção a Maurice naquele dia quando o viu pela primeira vez?

Muito simples: minha vida seria muito mais vazia se eu não tivesse voltado para falar com ele naquele dia. Quero dizer, Maurice trouxe tanta alegria e satisfação à minha vida, e mudou de diferentes maneiras a forma como eu pensava e especialmente a maneira como eu avaliava a minha infância. Os momentos que passamos juntos conversando, preparando biscoitos e fazendo o nosso ritual da segunda-feira à noite foram extremamente gratificantes. Nenhum de nós se deu conta, mas ele era uma criança ensinando a um adulto o verdadeiro valor do amor e da confiança em uma relação de amizade. Costumava dizer o tempo todo à minha família e aos meus amigos que todos nós deveríamos conhecer uma criança como Maurice para nos ajudar a abrir os olhos, a ver o quanto somos pessoas de sorte e como é viver do outro lado. Pode soar como egoísmo, mas Maurice me ajudou a lidar com grandes dificuldades em minha vida, grandes lembranças ruins que eu tinha. E, de todas as minhas realizações, não há nada que me faça sentir mais orgulho do que chamar Maurice de amigo e dizer que ele é o filho que nunca tive. Espero que nossa relação tenha agregado muita coisa a ele, tal qual aconteceu comigo.

Por que era tão importante para você manter certa distância entre você e Maurice, para que a relação de amizade entre vocês não se tornasse uma relação entre mãe e filho? Como isso acabou por "moldar" a sua relação com ele?

No início, eu achava que era muito importante para mim não tentar substituir a mãe de Maurice. A verdade é que ele tinha uma mãe e a amava muito, e sei que ela também o amava demais. E eu não queria mudar isso, tampouco ficar entre ele e a mãe. Talvez ela não estivesse sempre ao lado dele, e tenha feito más escolhas, mas eu não estava no lugar dela e não sabia das adversidades que ela estava enfrentando, então nunca quis tornar as coisas mais difíceis para ela. Tudo o que eu queria era ajudar Maurice de alguma forma, como uma amiga. Até hoje, sei que Maurice ama a mãe e tem muito orgulho por ela ter feito o que podia para criar os filhos. E me sinto muito feliz por isso.

Mas, à medida que nos aproximávamos, não posso negar que desenvolvemos um vínculo de mãe e filho. Na verdade, a maneira como estou próxima a ele, até hoje, aconselhando-o a fazer isso ou aquilo, lembrando que ele nunca deve se atrasar – sou como uma mãe para ele e Maurice tem 36 anos agora! Mesmo naquela época, houve momentos em que pensei como seria adotar Maurice, tê-lo morando comigo e é claro que sonhei com Maurice vivendo comigo e com Michael em nossa casa. Porém, acredito que a nossa relação acabou evoluindo da maneira como deveria ser. Creio que, como não tentei substituir a mãe de Maurice, pudemos desenvolver uma grande amizade semelhante à amizade entre mãe e filho.

Muitas vezes você comentou sobre o quanto era maravilhoso observar a vida de Maurice pelo simples prazer da experiência da infância. Você teve as mesmas alegrias quando era criança? Ou aquelas foram experiências que você ofereceu a Maurice porque nunca as teve?

As nossas infâncias foram bem diferentes. Como eu era uma criança de uma família de classe média, nunca me preocupei em ter uma escova de dentes ou de onde viria a minha próxima refeição, ou em ter um casaco de inverno ou uma cama para dormir. As alegrias que ofereci a Maurice foram aquelas que eu certamente tive. Fui abençoada por ter uma mãe tão forte e amorosa e um pai muito trabalhador que nos mantinha sob um teto para morar. Sempre soube que a minha infância era muito diferente da que as minhas amigas tinham. Mas, da nossa maneira desestruturada, éramos uma família na qual havia amor e um grande apoio. Há, porém, uma coisa que Maurice e eu não tivemos quando éramos crianças: a sensação de segurança, uma fuga para o caos. E era isso que eu queria proporcionar a Maurice quando o conheci: o sentimento de que ele tinha um lugar onde se sentiria seguro, protegido, amado e cuidado.

Como você acha que a sua formação familiar pode ter afetado a maneira como interagiu com Maurice?

Acreditei que era essencial dar a Maurice o máximo de estrutura possível por meio dos nossos encontros semanais, pois era algo que eu mesma desejava muito na minha infância. Queria que as coisas tivessem sempre sido as mesmas, que não houvesse mudanças, que não tivéssemos que mudar o tempo todo e nem ver as nossas vidas de cabeça para baixo. Provavelmente, esta é uma das mensagens mais importantes do livro: o valor dos pequenos e simples rituais da vida de uma criança. Consistência era algo sobre o qual eu pensava muito, e que eu queria proporcionar a Maurice. Meu pai era um excelente pai algumas vezes e um pai muito ruim em outras. Desejava estar ao lado de Maurice sempre, para que ele pudesse sempre confiar em mim.

Contudo, a coisa mais importante que queria transmitir a ele era a autoconfiança. Acredito que esse é um dos maiores presentes que os pais ou responsáveis podem dar a uma criança. Por mais difícil que tenha sido a minha formação familiar, e mesmo que eu tenha sido uma péssima aluna, em algum lugar do caminho eu me tornei uma pessoa extremamente autoconfiante. Não sei exatamente como, sei apenas que aconteceu. Meu pobre irmão Frank nunca desenvolveu essa autoconfiança por conta da relação que tinha com o meu pai. E de várias maneiras, essa falta de autoconfiança o condenou. Creio que confiar na sua própria capacidade é o que nos ajuda a sonhar e a realizar os nossos sonhos, então queria que Maurice soubesse o quanto ele era especial, e que ele desejasse algo diferente para si e para sua família no futuro. Maurice era uma criança tão perspicaz, tão inteligente, e um dos maiores obstáculos que ele enfrentou na vida foi que ninguém jamais havia lhe dito isso. Você tem de dizer aos seus filhos incansavelmente o quanto eles são especiais, e ninguém jamais havia dito isso a Maurice.

Acredito que, se uma criança tem uma pessoa com a qual ela possa contar e se ela souber que essa pessoa a ama verdadeiramente, isso faz toda a diferença na vida dela. Espero que eu tenha sido essa pessoa para Maurice.

Você escreve que a sua mãe foi a luz que a guiou e a levou até Maurice. O que ela teria sentido em relação a Maurice?

Minha mãe teria amado Maurice incondicionalmente. Ela teria muito orgulho do caráter dele, da força e da habilidade de discernir o certo e o errado, mesmo sendo uma criança. Ela o admiraria pela consciência de querer seguir um caminho diferente e pela sua perseverança para superar os desafios que enfrentou. Também penso que a minha mãe o teria respeitado muito pelo fato de ele nunca ter tentado fazer nada de errado, consciente de que, se o fizesse, não seria merecedor da nossa amizade. Quero dizer, ele poderia muito facilmente ter feito algo para estragar a nossa amizade por duvidar dela ou por achar que não seríamos amigos por muito tempo. Sempre me fascinou ver que Maurice, ainda tão jovem, sabia que o nosso encontro foi um presente incrível para nós dois. Claro que acredito que foi a minha mãe que nos uniu, por isso tenho certeza de que ela o amaria, aceitaria e o apreciaria muito, da mesma maneira que eu.

No começo da história, você descreve o "fio invisível" que uniu Maurice a você. Você considera que foi o destino? Acredita em coisas como providência, sorte e destino?

Considero-me uma pessoa extremamente espiritualizada, e não tenho a menor dúvida que a sorte e o destino tiveram o seu papel em nossas vidas. Alguns anos atrás, um amigo muito sábio e querido me disse: "Não está no seu destino ter um filho, mas sim ser importante para muitos". Espero que tenha feito isso com simplicidade e amor em relação a Maurice, aos filhos dele, às minhas sobrinhas e meus sobrinhos, e espero que possa fazê-lo também com os meus futuros sobrinhos-netos. Se a nossa história fizer a diferença para algumas crianças e adultos, será a confirmação de que o vínculo entre nós dois aconteceu por algum motivo especial. Maurice e eu desejamos que a nossa história possa mudar a maneira como a sociedade avalia as pessoas menos favorecidas e que possamos ajudar a compreender por que às vezes é praticamente impossível quebrar um ciclo tão avassalador. Se *An Invisible Thread* atingir esse objetivo de alguma maneira, então a nossa amizade terá uma importância muito maior do que já tem para nós. Sim, acredito no destino e acredito que foi por meio dele que Maurice e eu nos encontramos – não somente para ajudarmos um ao outro como também para tocar as outras pessoas.

Você tem planos de escrever outro livro?

Trabalhar com *An Invisible Thread* tem sido muito mais do que sonhei. Estou curtindo cada momento desta experiência enquanto continuo sendo agraciada com muitas bênçãos. Sinto-me imensamente feliz por este momento e pelo caminho que percorri. Tenho pensando sobre como seria ótimo dar às outras pessoas a chance de partilharem suas "histórias fio do destino", e creio que seria um livro maravilhoso – repleto de histórias sobre pessoas que estavam destinadas a se encontrarem, sobre a confluência surpreendente dos fatos que as levaram a se encontrar e sobre como conhecer um ao outro mudou as suas vidas profundamente. Creio que muitas pessoas por aí têm alguém em suas vidas e talvez não tenham pensado sobre essa relação como o "fio do destino", mas talvez seja exatamente isso: esse fio que pode se emaranhar, mas nunca se quebrar, e que conecta as pessoas por alguma razão. Adoraria ter a oportunidade de trabalhar em um livro sobre as "histórias fio do destino" de outras pessoas.

Este livro foi composto na fonte Minion Pro e
impresso em papel *Norbrite* 66.6g/m² na Imprensa da Fé.